Le cœur à l'envers

D1190080

Susanne Julien

Le cœur à l'envers

Roman

ÉDITIONS PIERRE TISSEYRE
8925, boulevard Saint-Laurent — Montréal, H2N 1M5

Dépôt légal: 2e trimestre 1992
Bibliothèque nationale du Canada
Bibliothèque nationale du Québec

Données de catalogage avant publication (Canada)

Julien, Susanne

Le cœur à l'envers

(Collection Faubourg St-Rock ; 4).
Pour les jeunes.

ISBN 2-89051-468-4

I. Titre. II. Collection.

PS8569.U477C63 1992   jC843' .54   C92- 096175-4
PS9569.U477C63 1992
PZ23.J84Co 1991

Logo de la collection :
Vincent Lauzon

Illustration de la couverture :
Odile Ouellet

1234567890IML98765432
10661

Copyright © Ottawa, Canada, 1991
Éditions Pierre Tisseyre
ISBN-2-89051-468-4

De la même auteure

Les mémoires d'une sorcière, conte, éditions Héritage, 1988, Prix Raymond-Beauchemin de l'ACELF, 1987.

Les sandales d'Ali-Boulouf, conte, éditions Héritage, 1988.

Enfants de la Rébellion, roman historique, éditions Pierre Tisseyre, collection Conquêtes, 1989, Prix Cécile-Rouleau de l'ACELF, 1988.

Le temple englouti, roman, éditions Pierre Tisseyre, collection Papillon, 1990.

Le moulin hanté, roman, éditions Pierre Tisseyre, collection Papillon, 1990.

Le fantôme du tatami, roman, éditions Pierre Tisseyre, collection Papillon, 1991.

Moulik et le voilier des sables, conte, éditions Héritage, 1990.

Le pion magique, livre-jeu, éditions Héritage, 1990.

Gudrid, la voyageuse, roman, éditions Pierre Tisseyre, collection Conquêtes, 1991.

L'envers de la vie, roman, éditions Pierre Tisseyre, collection Faubourg St-Rock, 1991.

J'ai peur d'avoir peur, livre-jeu, éditions Héritage, 1991.

Sorcière en vacances, conte, éditions Coïncidence/Jeunesse, 1991.

COLLECTION FAUBOURG ST-ROCK
directrice : Marie-Andrée Clermont

1

Espionne malgré elle

Allongée à plat ventre sur son lit, Sonia feuillette ses vieux cahiers. Pas ceux qu'elle utilise en classe pour y mettre des notions qu'elle juge plus ou moins nécessaires et intéressantes. Non! Ses cahiers à elle. Ils sont noirs avec une couverture rigide, identiques les uns aux autres, tous remplis des rêves qui se baladent dans sa tête.

Habituellement elle prend plaisir à inventer des histoires, mais pas aujourd'hui. Le cœur n'y est pas, ni la tête, ni même la température: une véritable sale journée d'avril! A-t-on idée:

pleuvoir à boire debout pendant un congé péda-gogique? C'est à croire que le directeur de la polyvalente a fait un arrangement avec le ciel et les nuages! Une vraie journée foutue, à jeter par la fenêtre... et Sonia s'embête.

Elle se lève, tourne en rond, va prendre une pomme dans le réfrigérateur, retourne à sa chambre, en ressort, trois petits pas à gauche, deux tours à droite, et la voilà qui s'assoit sur le lit de son frère. Pourquoi? Elle n'en sait trop rien. Pour changer de décor, casser la monoto-nie. Et puis, c'est un endroit comme un autre pour manger une pomme. Et elle en profite, car, quand Jean-Marc est là, pas question de se pointer le bout du nez dans l'embrasure de la porte.

D'accord, elle est curieuse, mais pas foui-neuse! Pourtant, elle ne peut s'empêcher d'exa-miner le repaire de son frère. Moche! La tanière lui semble moche: pas de bibelots, pas de déco-rations sur les murs, mis à part quelques médailles sportives épinglées derrière la porte. Finalement, elle ne manque rien à ne pas venir ici plus souvent.

Elle se penche vers la corbeille à papier près du lit pour y déposer son cœur de pomme et s'exclame en souriant:

— Enfin, une découverte intéressante!

Avec des gestes délicats, elle fouille dans la corbeille et en extirpe plusieurs petites enve-loppes noires et luisantes.

— Sept, huit, neuf... compte-t-elle à haute voix. Il est plutôt actif le grand frère!

Poussée par sa trouvaille et son désir d'en savoir plus long, elle ouvre le premier tiroir de la commode. Coincée sous une pile de sous-vêtements, une boîte de douze préservatifs n'échappe pas au regard de lynx de Sonia. La jeune fille retient un fou rire, prend la boîte et en vide le contenu sur le lit: un seul condom tombe sur l'édredon.

— Si mes notions de mathématiques ne sont pas périmées, il en manque deux. À moins que...

Elle regarde de nouveau dans la corbeille à papier qui ne contient rien de plus. Pendant quelques secondes, elle tripote nerveusement le seul emballage qui est encore plein. Elle essaie d'imaginer Jean-Marc manipulant cet objet embarrassant et gênant.

Un bruit de clés dans la serrure la fait violemment sursauter. Jean-Marc! C'est son frère qui arrive! Sonia reconnaît son rire... Il n'est pas seul, une voix de fille l'accompagne. À la hâte, Sonia ramasse la boîte, les enveloppes et son cœur de pomme. Elle fait un pas en direction de la porte, trop tard, ils approchent!

Si Jean-Marc la voit sortir de la chambre les mains pleines, ça va barder. Sans plus réfléchir, Sonia se glisse en vitesse sous le lit. Heureusement que le volant qui entoure le sommier, est assez grand pour la cacher.

«J'espère qu'ils ne resteront pas ici trop long-temps», songe-t-elle en retenant son souffle et en tendant l'oreille.

Au son de la voix, Sonia ne reconnaît pas la jeune fille qui accompagne son frère. Elle pense qu'il s'agit probablement d'une nouvelle connaissance du cégep. Depuis que Jean-Marc y est entré en septembre, il ne fréquente plus les mêmes gens.

— Tu es certain qu'on ne sera pas dérangés?

— Aucun problème, ma mère travaille jusqu'à cinq heures et ma petite sœur est à l'école. On a tout l'après-midi.

— Tu as dit la même chose la dernière fois et pourtant on a failli se faire prendre...

— Les culottes à terre! se moque Jean-Marc en riant.

Le lit bouge brusquement au-dessus de Sonia. Elle devine que son frère vient d'y pousser sa petite amie. Aux gloussements de joie et aux roucoulements de satisfaction qu'elle entend, Sonia imagine le pire.

«Ils ne vont pas faire ÇA maintenant!» Sonia ne se trompe pas, quatre souliers atterrissent un à un, près d'elle. Puis, il y a des bruits mats sur le plancher. Sonia soulève le volant et voit, à quelques centimètres de son nez, pantalons, chemises et autres accessoires vestimentaires que son frère et sa copine jugent inutiles pour l'instant.

À mi-chemin entre le rire et la honte, Sonia se mord les lèvres pour demeurer inaperçue. Le lit craque de partout, ce n'est pas le moment de s'extirper de sa cachette en criant coucou. Pendant que Sonia se creuse le cerveau pour se sortir de cette mauvaise passe, Jean-Marc ouvre son tiroir.

— J'étais certain qu'il m'en restait au moins un, bougonne-t-il en déplaçant le contenu du meuble.

— Ha! Ha! fait son amie sur un ton amusé. Pas de protection, pas de plaisir.

— Tu t'imagines peut-être t'en sauver ainsi? Non, mademoiselle! J'ai tout ce qu'il faut dans la poche de mon manteau de cuir. Tu ne perds rien pour attendre.

Il se lève et se dirige rapidement vers le placard près de l'entrée. Sa copine sort du lit et annonce qu'elle profite de cette brève interruption pour faire un petit tour à la salle de bains. Sonia réalise aussitôt que c'est sa seule chance de se tirer de ce mauvais pas.

Elle soulève le volant à temps pour voir les fesses blanches de la jeune fille disparaître dans le couloir. Sonia se glisse de sous le lit, traînant avec elle les objets qu'elle n'a pas encore lâchés. Elle s'approche de la porte, Jean-Marc aussi; elle l'entend qui revient déjà! Prise de panique, elle s'engouffre dans la garde-robe et s'y enfouit au plus profond en tirant la porte vers elle. Elle évite de la fermer complètement pour ne pas attirer l'attention de son frère.

Bien à l'abri des regards, elle soupire, consciente de l'avoir échappé belle. À quelques mètres d'elle, les amoureux se sont retrouvés et reprennent possession du lit maintenant débarrassé de sa visiteuse clandestine.

Accroupie au fond de l'armoire, Sonia ferme les yeux et se bouche les oreilles. Elle ne veut rien savoir de ce qui se passe de l'autre côté de la porte. Elle se sent toute bizarre. Qu'est-ce qui lui arrive? Elle est honteuse et excitée tout à la fois. Elle ne veut pas être témoin du plaisir de son frère, mais elle doit faire un effort pour tenir en bride sa curiosité. Puis, la culpabilité l'envahit entièrement.

«C'est donc long! C'est donc bien long!» gémit-elle intérieurement.

2

Entre amis

Cette année, au casse-croûte *Chez Fimo*, il y a du nouveau. En plus des frites, sandwiches et autres plats maison, dont les jeunes étudiants de la polyvalente se gavent à l'heure du dîner, on y sert de la pizza. Une excellente pizza que Caroline savoure tout en écoutant son amie Sonia lui raconter sa mésaventure d'hier après-midi.

— Il ne s'est pas rendu compte que tu étais là? demande-t-elle entre une bouchée et un éclat de rire.

— Penses-tu! À deux, ils faisaient tellement de bruit que le monde aurait pu s'écrouler autour d'eux et ils n'auraient rien entendu.

— C'est vrai que dans ces occasions-là... fait Caroline sur un ton suggestif.

Sonia ignore sa remarque et poursuit:

— On aurait dit que plus rien d'autre n'existait pour eux. Ils ne se souciaient pas de savoir si quelqu'un les entendait ou les observait. C'était plutôt embarrassant!

— Au contraire, tu aurais dû trouver cela instructif et en profiter pour parfaire ton éducation de jeune fille...

Sonia rougit jusqu'aux oreilles. Heureusement que le restaurant est pratiquement vide, personne n'est témoin de sa gêne. Les habitués de l'endroit ne sont pas encore arrivés, c'est pour cela qu'elle en profite pour faire des confidences à sa meilleure amie qui s'amuse à la taquiner.

— Tu n'as pas à être mal à l'aise; si on ne peut plus compter sur les membres de sa famille pour nous renseigner sur les secrets de la vie!

— Oh! Caro! Arrête de dire n'importe quoi.

— Alors, il était comment ton grand frère? Est-ce qu'il en avait «une» longue comme ça? demande-t-elle en joignant le geste à la parole.

— Caro! Si tu continues, je t'écrabouille la face dans ta pizza!

Au même instant, la porte s'ouvre vivement sur plusieurs jeunes affamés. Ils sont excités, parlent fort et tous à la fois. Caroline se tourne vers eux en murmurant: «Enfin, voilà Charles!». Sonia la pousse du pied et lui impose silence du regard. Caroline hausse les épaules et soupire:

— Évidemment.

Et voilà un secret de plus entre les deux jeunes filles; on n'est pas les deux meilleures amies du monde pour rien! Un grand garçon au visage parfait, aux cheveux noirs et aux yeux verts se penche vers Caroline et l'embrasse avant de s'asseoir près d'elle et de jeter un œil froid sur Sonia. Le regard que lui renvoie celle-ci, n'a rien à envier aux icebergs. Charles est peut-être le plus beau gars de l'école et le chum de Caroline, Sonia ne l'aime pas.

Elle serait bien embêtée d'expliquer pourquoi. Pourtant, il n'est pas désagréable et tout le monde semble l'aimer. Au fond, c'est peut-être ça qui lui déplaît: sa trop grande facilité à se faire apprécier de tous et le pouvoir que cela lui donne sur eux. Sonia déteste être dirigée. Son indépendance, c'est sacré!

— C'était super-trippant! s'exclame un autre jeune en s'installant à leur table. Vous avez manqué quelque chose, les filles!

Charles l'interrompt en le raillant:

— Mais pas de panique, mesdemoiselles, puisque cette malencontreuse lacune va être rapidement comblée par «Ben le super-potineur»! N'est-ce pas, Ben?

L'adolescent ainsi surnommé fait comme s'il n'avait rien entendu. Il se tourne vers Sonia et lui explique:

— On a eu droit à un super spectacle: une course de moto entre le gros Gingras et un nouveau, Stéphane... euh...

— Stéphane Patenaude, intervient Charles.

— Stéphane, ton cousin? s'étonne Caroline.

— Lui-même, en personne.

Intrigué et curieux, Ben ne peut s'empêcher de remarquer:

— J'ignorais que tu avais un cousin à la polyvalente.

— Mais, c'est qu'il y a des tas de choses que tu ignores, mon pauvre petit Ben, réplique Charles avec un air supérieur, avant de poursuivre sur un ton plus aimable pour Sonia. Ses parents se sont installés dans le quartier en février. Ils avaient déjà vécu ici, il y a quelques années avant d'aller rester à Québec à cause du travail de mon oncle.

— Maintenant, ajoute Caroline en se glissant dans la conversation, ils sont de retour au bercail. Et Stéphane a une moto, une grosse moto rouge!

Ben ouvre la bouche d'un air songeur, mais ne dit mot. Sonia fait remarquer, avec un sourire en coin:

— Il n'est pas un peu jeune le cousin pour conduire une moto?

— Pas du tout, s'objecte Charles. Il a un an de plus que moi. Seize ans, c'est tout ce que ça prend pour obtenir un permis de conduire.

L'occasion que vient de créer Charles par cette petite phrase est trop tentante pour Ben. Il en profite donc:

— Vraiment! Je croyais qu'il fallait aussi un brin de jugeote. À te regarder aller, j'ai peine à croire que ça existe dans ta famille...

Sonia ricane, Caroline lance un «Oh! Ben» offusqué et Charles prend un air méprisant. Il s'apprête à riposter par une réplique cinglante quand Mme Paul, une grande et forte femme au teint noir, dépose deux assiettes devant les jeunes. En tant que serveuse connaissant bien les habitués de la place, elle leur dit:

— Tenez, mes petits, mangez avant que ça soit froid. Ça vous empêchera de dire des sottises.

Charles tire aussitôt avantage de cette boutade:

— Voilà enfin la preuve, mesdemoiselles, et je ne suis pas le seul à l'affirmer: Ben dit des sottises!

La femme proteste en riant. Avant qu'elle ne s'éloigne pour servir d'autres clients, Ben la complimente:

— Vous faites le meilleur pâté chinois au monde, madame Paul. Vous voyez bien que je ne dis pas toujours des bêtises.

— Pas toujours, toujours, mais..., ajoute Caroline avec un geste de la main.

— Si tu t'en mêles toi aussi, j'ai vraiment aucune chance, se plaint Ben.

— Tiens! Regardez qui vient manger avec nous, s'écrie Charles. Le grand gagnant toute catégorie de la course de moto de La Passerelle: Stéphane Patenaude. Les filles, vous allez avoir droit au récit du maître, ce sera bien mieux que ce qu'aurait pu vous dire Super-Ben.

Un jeune aux cheveux châtain clair et aux grands yeux bruns se tire une chaise à leur table. Un sourire malicieux aux lèvres, il dépose son casque protecteur et ses épais gants de cuir à ses pieds et fait un signe à la serveuse.

— Le spécial du jeudi, annonce-t-il avant de saluer ses voisins de table.

Puis, certain d'accaparer l'attention de tous, il lance:

— Je l'ai bien eu, le gros Gingras. Il s'imaginait jamais que je lui jouerais un coup pareil.

— T'as triché? s'indigne Sonia.

— Ben, non, voyons! Tous les coups étaient permis, rectifie Charles.

— Alors qu'est-ce que tu as fait? demande Caroline impatiente.

Charles ramasse vivement la salière et s'en servant comme d'un micro, il imite un commentateur sportif:

— Pour le plus grand plaisir des téléspectateurs et de vos fans, monsieur le motard, voulez-vous bien condescendre à nous faire part de vos réactions et de vos observations sur le terrain pour nous permettre de mieux tâter le pouls de cet événement spécial.

Stéphane sourit de plus belle et entre dans le jeu:

— Eh bien! voyez-vous, mon cher Charles, comme vous me le dites si bien... C'est exactement cela. Il y avait une piste de course, deux concurrents et un gagnant dont j'ai l'extrême honneur et la non moins grande joie d'être celui-là. En deux temps, trois mouvements, le Gingras qui n'est pas ingrat, était dans le sac et dans ses petits souliers que je n'aurais pas voulu échanger contre les miens, car lorsque l'on passe des chaloupes aux pattes de grenouilles, on risque les cors aux pieds, la noyade et les crampes aux mollets, sans parler de toutes les maladies honteuses, telles pieds d'athlète, verrues et autres embêtements du même acabit. Et voilà, j'ai tout dit.

Sonia, visiblement découragée par tout ce verbiage ridicule, se penche vers Caroline qui rit de bon cœur:

— Il est toujours comme ça, le cousin?

Devant le geste de tête affirmatif de son amie, Sonia soupire:

— On n'est pas près de savoir ce qui est arrivé!

Retranché dans son coin de table, le nez enfoui dans son pâté chinois, Ben a vraiment l'attitude de quelqu'un qui désire passer inaperçu. Mais c'est plus fort que lui, quand Sonia est à ses côtés, il ne peut s'empêcher de réagir:

— C'est pas compliqué, dit-il en haussant les épaules. Ça c'est passé dans le stationnement derrière l'école. Gingras, sur son gros bicycle de route, un 450 je pense, et Stéphane a une moto-cross. Ils partaient du bout du stationnement, près du mur de la poly et devaient contourner le gazon qui sépare de la piste d'athlétisme pour revenir par l'autre bout du stationnement. Le premier arrivé à l'entrée de la rue Wodehouse, gagnait. Stéphane a simplement décidé de prendre un raccourci en passant sur le gazon, mais y a failli manquer son coup.

— Le gazon était mouillé, il pleut tout le temps, explique Stéphane. Mais j'ai seulement glissé un peu. Ça n'a pas été long que j'étais debout et le premier rendu à la ligne d'arrivée.

— De justesse, le taquine Charles. Un peu plus et...

— Stéphane a pris du temps à se relever, mais il s'est rattrapé au dernier virage. Gingras a trop ralenti pour tourner. C'était une belle course!

— Une chance qu'on a Ben pour nous raconter toute l'histoire, remarque Caroline, parce que si on devait se fier à ces deux-là...

Stéphane qui tarde à être servi, vole une frite dans l'assiette de son cousin. Puis, il lance à brûle-pourpoint à Ben:

— J'ai l'impression que je te connais, toi. Ta binette me dit quelque chose...

Mal à l'aise, Ben courbe les épaules et se penche davantage sur son assiette. Puis, il marmonne:

— Possible, on a dû se croiser dans les couloirs de la polyvalente.

Têtu, Stéphane ne lâche pas son idée:

— Ben... Benoît, Benoît, Benoît... Benoît Ladouceur! s'exclame-t-il enfin sur un ton triomphant. Au primaire, à la petite école à l'autre bout du faubourg St-Rock, celle qui est près de la Côte-au-Sirop, dans le vieux couvent, t'étais dans ma classe jusqu'en quatrième année. Oui, oui, je me rappelle.

— T'as une maudite mémoire, soupire Ben, à la fois découragé et impressionné.

— Oui, monsieur, j'ai une bonne mémoire, reprend Stéphane sans tenir compte de l'attitude de Ben. J'oublie jamais un visage. Comment ça se fait que t'es pas en secondaire IV? Ah! c'est vrai, t'as doublé une année...

— T'as même dû en doubler deux, vu que tu es seulement en secondaire II, susurre Charles en jubilant.

S'il était possible de fondre sur sa chaise ou de disparaître dans le décor sans laisser de trace, Ben le ferait en ce moment. Ce grand imbécile de Patenaude aurait pu se taire, surtout devant Sonia. La belle et gentille Sonia qui ne lui a jamais rien promis d'ailleurs et qui n'est pas plus attachée à lui qu'à un autre, que va-t-elle penser de Ben? Qu'il est un super-sans-tête, comme on se plaît à le surnommer dans son dos? Qu'il est un incapable? Alors qu'elle, tout lui réussit sans efforts!

Contrôlant la sourde colère qui germe en lui, il dit en essayant de crâner:

— Pis après, on en meurt pas. Regarde, je suis en excellente santé. Je vais peut-être même avoir mon nom dans les records Guinness, un jour. Celui qui a pris le plus grand nombre d'années pour terminer ses études secondaires...

— À ta place, je m'en vanterais pas, réplique Caro.

Ben hausse les épaules et replonge dans son assiette. Après tout, tant pis si le reste du monde est trop con pour le comprendre. Stéphane, qui cherche toujours à faire rire, prend un couteau sur la table et, d'un geste vif, poignarde le pâté chinois de Ben. Devant l'ahurissement de tous ses voisins de table, il explique avec son air le plus innocent:

— Il allait se sauver... fallait bien que quelqu'un le rattrape. D'ailleurs Ben, tu ne devrais pas manger cela. Tu sais la chasse au pâté chinois n'est pas encore commencée. Si les gardes forestiers te prenaient en flagrant délit, tu aurais droit à une amende. Ça donnerait un pâté chinois amandine... Totalement dégueu!

Caroline et Charles se tordent de rire devant l'air penaud de Ben. Sonia, qui en a assez de ces enfantillages, salue tout le monde et quitte le restaurant en prétextant des études qui lui restent à faire.

Elle n'a pas fait deux pas dehors que Ben songe à l'imiter. Au moment, où il pousse la porte, il entend Stéphane demander à Caroline le nom de la fille qui était assise avec eux. Ben attend quelques secondes, le temps d'écouter une remarque de Stéphane.

— Pas mal la petite Sonia! Elle sort avec quelqu'un?

«Non, songe Ben, elle sort avec personne et c'est pas faute de volontaires...»

Dehors, un seul regard lui fait comprendre que Sonia est trop loin pour qu'il la rejoigne sans que cela semble louche. Il soupire et examine rapidement la super moto Honda XL200S du héros de la journée. Avant qu'il puisse s'en offrir une comme ça, il va en tomber des clous sur le faubourg St-Rock!

3

Une invitation spéciale

Sonia avance à pas lents, tâtant du bout du pied les obstacles entre elle et sa case pour tâcher de les éviter de son mieux. Difficile de se rendre d'une salle de classe du deuxième jusqu'au rez-de-chaussée en ayant le nez dans un livre. C'est un exploit que Sonia réalise néanmoins assez régulièrement. Quand on aime les livres à la folie, ça vaut bien ce petit effort acrobatique!

Elle a presque atteint son but quand un obstacle imprévu lui bloque le chemin. En jetant un œil sous les pages de son roman, elle aperçoit une manche couleur kaki dans laquelle il y a un bras qui, de toute évidence, lui barre la route. En remontant jusqu'au tronc, puis à la tête, elle n'a plus aucun doute sur les intentions de ce sourire narquois et de ces yeux vifs.

— Salut! Tu es toujours aussi perdue dans les nuages? lui demande Stéphane.

«Stéphane! Encore lui!» pense Sonia. Il est vrai que depuis l'autre jour, elle le trouve partout sur son chemin. À la cafétéria, il vient s'asseoir à sa table; à la bibliothèque, il rôde autour d'elle; dans les corridors, elle risque en tout temps de buter sur lui. Et le revoilà ici! Comme à chaque fois, elle va avoir droit à son petit baratin, à ses histoires drôles n'ayant aucun sens et à des marques d'attention particulière.

— Rectification, je ne suis pas perdue dans les nuages, mais plongée dans un récit émouvant et captivant dont je doute fort qu'il t'intéresse.

— Qu'est-ce que t'en sais? Moi, aussi j'aime la lecture... Surtout quand je suis au volant de ma trottinette, une brunette assise derrière moi qui me dit soudain: «Regarde ce qu'il y a d'écrit sur le machin, c'est un stop.» Je freine en catastroppe et je...

— Stéphane, t'as pas rapport, s'écrie Sonia. D'ailleurs, t'as jamais rapport. Change de toune, elle commence à être vieille!

Sans lui accorder plus d'attention, elle fouille dans sa case pour y prendre le cartable nécessaire à son prochain cours. Mais on ne repousse pas Stéphane aussi facilement. Il s'incruste près d'elle et lui dit:

— Parfait, message reçu! J'en ai une meilleure pour toi. Qu'est-ce que tu dirais d'une balade en moto?

— Ha! Ha! Très drôle. Bon! moi j'ai pas envie d'arriver en retard. Le prof de maths se montre très généreux avec les copies, fait-elle en rebroussant chemin vers l'escalier.

Stéphane qui ne la lâche pas d'un poil, revient à la charge:

— C'est pas une blague. Je veux vraiment me promener en moto avec toi. J'ai même apporté un deuxième casque, exprès. De plus, il fait chaud, aujourd'hui. Pour un mois d'avril, c'est assez rare du beau temps comme ça. Aussi bien en profiter! C'est d'accord! À la fin des cours, je t'attends à la sortie du stationnement. À tantôt!

Sans attendre la réponse de Sonia, il grimpe les marches quatre à quatre. Elle le regarde bondir vers le troisième étage et trouve qu'il ressemble à un kangourou. Un kangourou en moto! Elle secoue la tête. «S'il s'imagine que j'accepte... Tant pis pour lui!» Puis, elle se hâte vers son local où elle entre juste avant que la porte ne se referme.

À peine a-t-elle le temps de s'asseoir à son pupitre que M. Longtin distribue déjà les copies du dernier examen. Sonia fait la grimace en recevant sa feuille: 34 sur 50, elle s'attendait à mieux. Ben, qui se trouve à sa gauche, semble plutôt heureux de ses résultats. Il voudrait bien en faire part à Sonia, mais sans trop en avoir l'air. Histoire de lui montrer qu'il n'est pas aussi idiot qu'on le prétend. En fouillant dans ses affaires, il pousse intentionnellement son examen qui glisse par terre, sous les pieds de Sonia.

Il ne lui reste plus qu'à attirer l'attention de la jeune fille par un «pssst» discret et à lui demander sa feuille par des gestes appropriés. Sonia s'exécute et, en lui remettant sa copie, fait une mimique admirative qui en dit long sur la note obtenue: 49! «Où a-t-il bien pu pêcher ce résultat, pour un gars qui a déjà doublé deux fois?» se demande-t-elle incrédule.

— Les maths, ça demande un peu de logique, rien de plus, chuchote Ben, comme s'il cherchait à expliquer sa réussite.

— Chanceux, moi les maths..., répond-elle sur le même ton en pointant son pouce vers le bas.

— Sonia Pelletier, dit M. Longtin d'une voix qui la fait sursauter, as-tu des commentaires à formuler?

— Euh! Non, monsieur.

— Dans ce cas, écoute les explications. Tu en as besoin.

— Oui, monsieur, je suis tout ouïe, murmure-t-elle. D'ailleurs, est-ce que j'ai le choix?

Non, pas vraiment!

◯

Le supplice des nombres décimaux et la torture de leur pourcentage enfin terminés, Sonia et Ben se retrouvent devant leur case respective. Le garçon tente d'encourager la jeune fille:

— Si tu fais chaque problème étape par étape, ce n'est pas si difficile que ça.

— Non, mais c'est long! Surtout quand tu ne comprends pas tout le temps.

— Je peux t'aider... Enfin, si ça t'intéresse. Je veux pas te déranger non plus.

— Tu ferais ça? Vrai? Avec Longtin, je comprends rien. Il parle trop vite, et avec sa grosse bedaine devant le tableau, je vois pas.

— Si ça fait ton affaire, je peux aller chez toi. Ce soir?

Sonia qui préfère ne pas affronter les railleries de son frère si un garçon vient la voir à la maison, répond vivement:

— Non, non! J'aimerais mieux demain midi, ici, à la bibli, ou...

— Ou à l'amphithéâtre. Il est peut-être débarré comme l'année dernière.

Sonia trouve l'idée excellente et le lui dit au moment où Caroline arrive, tout essoufflée.

— C'est ici que tu te caches! lui lance cette dernière sur un ton courroucé. Dépêche-toi! On t'attend.

— Moi? Pourquoi? Ah! oui, je l'avais oublié, celui-là, fait Sonia en se rappelant l'invitation de Stéphane. J'ai jamais dit que j'acceptais.

— T'es folle, refuser une chance pareille! À ta place, je sauterais sur l'occasion.

Puis, voyant le regard inquisiteur de Ben posé sur elles, Caroline attire son amie dans un coin et lui chuchote tous les arguments qui lui viennent par la tête. Cette ambiance de mystère intrigue le garçon qui, tout en prenant ses affaires dans sa case, épie les filles du coin de l'œil.

Sonia, qui n'aime pas attirer inutilement l'attention sur elle, finit par céder.

— D'accord, mais ça ne deviendra pas une habitude. C'est seulement pour aujourd'hui.

— Compris, compris, réplique Caroline en jubilant, mais viens vite.

— O.K. Salut, Ben, à demain. On essaiera de se trouver un endroit tranquille.

— Oui, c'est ça, à demain, dit-il en souriant timidement.

Pendant qu'elles s'éloignent de lui, il croit entendre Caro demander à Sonia:

— Je vois pas ce que tu lui trouves au Super-sans-Tête. Tu devrais pas te tenir avec lui.

— Est-ce que je te dis avec qui parler? Ce sont mes oignons, pas les tiens.

Caroline hausse les épaules et continue d'avancer à grands pas. Sonia trottine derrière elle et se glisse entre les étudiants en direction du stationnement.

En franchissant la porte, elle voit Stéphane trônant sur sa moto, entouré de quelques jeunes comme un héros adulé par un groupe d'admirateurs. «Tout ça pour une machine à polluer et un clown audacieux! soupire intérieurement Sonia. Allez, il est trop tard pour reculer.»

En effet, Caroline lui glisse déjà entre les mains le casque protecteur. Sonia ne sait pas trop pourquoi, mais elle trouve à sa copine des allures d'entremetteuse. Sonia attache pourtant solidement le casque sur sa tête, boutonne son manteau de jeans jusqu'au cou et s'avance résolument vers le bolide. Quand elle a décidé de faire quelque chose, elle n'y va pas à moitié.

— Alors, tu m'emmènes où? demande-t-elle les mains sur les hanches.

— Au bout du monde, si tu veux! dit Stéphane avec son éternel sourire.

— Non, c'est trop loin et je n'ai pas le temps. Un petit tour dans le faubourg me suffira.

Elle lance sa jambe par dessus le siège et s'installe de son mieux derrière le garçon. Plus tôt ils partiront, et plus vite ce sera terminé. Au démarrage, elle se rend malheureusement compte qu'elle n'a rien d'autre pour se tenir que la taille de Stéphane. Elle s'y agrippe donc fermement pour éviter une chute. L'espace d'un instant, elle entrevoit le visage de Charles.

«Non mais, il est en train de se payer ma tête, celui-là! songe-t-elle avec une pointe de rage. Je vais lui montrer que je sais me tenir sur une moto.»

Refoulant ses appréhensions, elle sourit de toutes ses dents. Elle ignore que, à l'intérieur de la polyvalente, regardant au travers de la fenêtre de la porte, Ben l'observe. Dès qu'elle n'est plus dans son champ de vision, il tourne les talons pour prendre une autre sortie. Il préfère ne pas croiser Charles et Caroline.

○

Finalement, sa balade s'est bien déroulée. Stéphane est beaucoup plus prudent qu'elle l'avait d'abord cru. En la déposant devant chez elle, il lui dit:

— Samedi soir, il y a une danse à l'école. C'est un groupe qui s'appelle Push-Poussez qui va jouer...

— Je le sais, fait Sonia. Ils sont pas mal bons. L'an dernier, ils ont fait la danse de la fin d'année. J'y étais allée.

Elle se tait avant d'ajouter «avec mon frère»! De quoi aurait-elle l'air?

— Si ça t'intéresse, reprend Stéphane, je vais y pousser une pointe. T'auras qu'à faire du poushe, et je te prendrai sur ma moto. Comme ça, on sera deux à pousser si mon moteur arrête...

— Oh! Stéphane! soupire Sonia avec un geste impatient.

— D'accord, j'ai compris. Push, mais pousse égal!

Avant que la jeune fille puisse dire un mot, il ajoute en démarrant:

— Essaie de te trouver un meilleur manteau, parce que le soir en moto, c'est pas chaud!

Pour la deuxième fois aujourd'hui, il la quitte sans attendre la réponse. Sonia éprouve des sentiments contradictoires. Il est toujours flatteur d'être invitée à sortir, mais ce grand blanc-bec se prend pour qui? Il s'imagine à chaque fois qu'elle dira oui! Vraiment, il exagère. Il peut bien être le cousin de Charles!

— Tu perds rien pour attendre. Demain, je vais te dire ma façon de penser, murmure-t-elle en le regardant s'éloigner.

4

Pile, j'accepte; face, je ne dis pas non...

Son plateau en main, Sonia se cherche une place dans la grande cafétéria de la polyvalente. Elle en aperçoit une auprès de Ben. De toute évidence, il l'a gardée pour elle puisqu'il l'invite d'un sourire. Sonia marche vers lui quand elle entend quelqu'un qui l'appelle, trois tables plus loin.

C'est Caro. Sonia hésite, car son amie est attablée avec Charles et le fameux cousin. Jugeant qu'elle doit se montrer indépendante envers

Stéphane, elle se contente de les saluer de la tête et va s'asseoir à côté de Ben. De toute façon, ils ont des choses sérieuses à discuter ce midi. Ne lui a-t-il pas promis de l'aider en mathématiques?

Ben se rend compte qu'il vient de marquer un point: Sonia préfère s'installer avec lui plutôt qu'avec Stéphane! Peut-être que la balade d'hier ne lui a pas plu? Il reprend espoir, toutes ses chances ne se sont pas envolées...

— Salut! lui dit Sonia en souriant. J'ai apporté mon cahier de maths. J'ai pensé que tu pourrais peut-être m'aider avant le cours de cet après-midi.

— Pas de problème, fait le garçon, un peu déçu qu'elle ne s'intéresse à lui que pour cela.

Mais comme cette marque d'attention vaut mieux que rien, il se force à sourire et reprend:

— C'est vrai, je t'avais dit que je te donnerais un coup de main... mais... j'étais pas certain que ça te tenterait encore.

— Pourquoi? Je n'ai pas attrapé la bosse des maths durant la nuit. Je suis encore aussi poche que je l'étais hier avec les fractions.

— Non, c'est pas vrai, t'es pas poche! Au contraire, d'habitude t'es super, tu réussis bien dans toutes tes matières.

— Sauf les maths, s'écrie-t-elle. Tiens, regarde. Comment veux-tu trouver le milieu entre des douzièmes et des treizièmes?

Avec une patience et un calme qui lui sont peu habituels, Ben lui explique les étapes à suivre pour mener à bien l'opération. Numéro après numéro, il tente avec logique de lui montrer qu'après tout ce n'est pas si difficile. Il fait tant et si bien qu'elle termine son devoir avant la reprise des cours.

C'est à cet instant que Caro s'approche d'eux:

— Salut, l'indépendante! lance-t-elle à son amie. Pis, tu t'es enfin décidée pour demain? Ça va être toute une danse. Les Push-Poussez, ils font de la musique trippante. En passant, tu devrais demander à ton frère de te prêter son manteau de cuir. En moto, c'est pas chaud. Ciao!

Et elle s'éloigne aussitôt vers la sortie. Sonia a l'impression d'avoir déjà entendu la dernière phrase. «D'ailleurs, songe Sonia, elle ne l'aurait pas fait exprès de raconter tout cela devant Ben?» Celui-ci, qui rêvait secrètement d'inviter Sonia, sans trop savoir comment, est court-circuité par les paroles de Caro. Pour cacher son malaise, il dit:

— Les danses dans les écoles, c'est toujours super plate! Bon, ben, faut que j'aille. À tantôt!

Il se lève précipitamment et quitte la cafétéria. Sonia, qui n'a plus rien à faire là, ramasse ses affaires. En se retournant, elle voit Charles qui grignote un dessert en souriant d'un air moqueur.

«Lui, il s'amuse trop pour être honnête! pense Sonia. Ma chère Caro, t'as une petite explication à me donner.» Elle part à la recherche de son amie qu'elle découvre à la bibliothèque.

— Je suis contente que tu viennes à la danse de samedi, s'écrie Caroline en voyant Sonia. On va bien s'amuser!

— Je regrette de te contredire, mais je n'ai jamais dit que j'y allais, corrige Sonia.

— Comment ça? Stéphane ne t'a pas invitée? Je pensais que...

— Oui, il m'a invitée, mais il n'a pas pris le temps d'attendre ma réponse!

— Tu ne vas quand même pas refuser! soupire Caro qui voit son projet tomber à l'eau. C'est assez rare qu'on sorte ensemble.

— C'est ça quand on a un chum. Avec Charles dans le décor, j'ai toujours l'impression que je dérange, que je suis de trop. J'ai pas envie d'être la troisième roue de la bicyclette.

— Non, mais tu pourrais être la deuxième de la moto?

Sonia esquisse un geste impatient, ce qui n'empêche pas Caroline de poursuivre:

— Qu'est-ce que tu as à te plaindre? Stéphane est plutôt joli garçon. Avec lui, tu t'ennuieras pas, y est assez drôle! Tu vas pouvoir te promener en moto tant que tu le désires. Et ce qui gâte rien, ses parents sont riches à craquer.

— Caro! Es-tu en train de me trouver un mari? Franchement, t'exagères!

Sonia trouve tellement ridicule les arguments de sa copine qu'elle éclate de rire. En la voyant si joyeuse, Caro se dit que ses chances de la convaincre ne se sont pas toutes évanouies. Elle reprend:

— O.K. J'en ai un peu trop mis, mais faut me comprendre. J'aimerais tellement ça si on sortait tous les quatre ensemble. Il me semble qu'on aurait du plaisir. Et puis, la musique va être bonne! Envoye! Dis oui, pour une fois...

Caro a adopté le ton suppliant qui réussit toujours à faire céder son amie. C'est vrai qu'au fond, Sonia aimerait bien aller danser. Et c'est plus amusant d'y aller avec des amis que seule...

— D'accord! Pour une fois! Je ne veux pas que Stéphane s'imagine que je suis sa blonde attitrée.

Caro sourit, fière de son succès. Après cette première danse, on verra bien si Sonia ne devient pas «la» blonde du cousin de Charles. «Oui, pense-t-elle, ils vont former un joli couple! Et puis, il est grand temps que Sonia se déniaise et sorte avec un garçon. Tant qu'à y être, aussi bien que ce soit Stéphane plutôt que Ben. Il ne lui arrive pas à la cheville.»

Une cloche retentit et les corridors se remplissent de jeunes qui se dirigent vers leur salle de cours. Sonia et Caro suivent le flot.

○

Sonia frissonne en montant les marches du logement familial. Le soleil a beau briller dans le ciel, il est vrai qu'en moto, il fait froid. Stéphane qui vient tout juste de la reconduire chez elle, l'a bien averti. Son petit manteau de jeans ne la protège pas suffisamment.

Elle lève les yeux et aperçoit son frère qui la surveille par la fenêtre de sa chambre. À son sourire railleur, elle sait qu'il va la taquiner. Tant pis pour lui, elle a de quoi lui répondre.

— Bienvenue à la maison, sœurette, s'écrie Jean-Marc en lui ouvrant la porte. Tu as un penchant pour les motards? Fais attention, il y en a qui cachent des sacs de couchage et des blocs de ciment sous leur siège...

— Ah! Ah! Ah! Très drôle, réplique Sonia. Tiens! en parlant de sac, j'en ai trouvé un qui t'appartient.

— Désolé, mais tu dois faire erreur. Je ne fais pas de camping.

— Vraiment? susurre-t-elle en souriant. Je croyais que tu adorais coucher... sous une tente... mais dans ton lit!

Jean-Marc fronce les sourcils et demande:

— Qu'est-ce que tu racontes là? Encore une invention de bébé!

Sonia sourit de plus belle et dit en minaudant:

— Mais pas du tout, mon cher grand frère! Quoique, si tu ne fais pas attention, tu risques bien d'en avoir un, bébé!

Son frère s'impatiente davantage et lui tourne le dos pour retourner dans sa chambre. C'est d'une voix irritée qu'il lui lance:

— Je ne vois pas où tu veux en venir et je n'ai pas de temps à perdre avec tes sottises. Va donc au balai!

Ce n'est pas cela qui va faire reculer la jeune fille. Elle le suit de près en objectant:

— Non, non, non, non, non! Tu ne comprends pas très bien la situation. Tu devrais plutôt me remercier; je t'ai rendu un grand service...

Son frère éclate de rire:

— Un service! Depuis quand es-tu serviable avec moi? Franchement, Sonia!

— Depuis que j'ai compris qu'entre jeunes, il fallait s'épauler, s'aider mutuellement.

— Ah! Voilà le chat qui sort du sac! Tu as besoin de quelque chose.

— En parlant de sac, tu ne veux pas savoir quel service je t'ai rendu? demande la jeune fille.

Jean-Marc l'observe en jonglant avec un crayon. Est-ce que cela en vaut vraiment la peine? La curiosité l'emporte, surtout qu'il n'y a sûrement rien de très compromettant dans cette histoire.

— Je t'écoute, annonce-t-il enfin.

Sonia se dit qu'elle vient de gagner. En souriant, elle sort de la chambre de son frère et va dans la sienne. Elle en revient aussitôt avec un objet caché dans la main.

— Tu devrais faire plus attention et ne pas tout laisser traîner. Maman aurait pu le trouver!...

— Trouver quoi? demande-t-il vivement.

— Ça! dit-elle en ouvrant la main.

Jean-Marc y voit un condom de la même marque que ceux qu'il utilise habituellement. Serait-ce celui qu'il cherchait la semaine dernière? Furieux, il s'avance sur sa sœur:

— Où t'as pris ça, toi?

Sa réaction fait plaisir à Sonia. Elle ne s'est donc pas trompée. Il n'a pas envie que leur mère découvre ce qu'il fait en cachette, certains après-midi. Elle lui donne l'explication qu'elle a brodée dans sa tête durant son retour de l'école.

— Ton petit sac traînait ici, à côté de la porte de ta chambre. Je l'ai ramassé en me disant qu'il valait mieux que ce soit moi qui le fasse plutôt que maman. J'avais comme oublié de te le remettre.

— Avoue que tu voulais t'en servir comme monnaie d'échange. À moins que.... tu en as peut-être besoin? Avec ton beau motard?

— Niaiseux, soupire-t-elle en haussant les épaules. T'as pas rapport! Avant que j'aie envie de coucher avec ce gars-là!

— Je te crois, admet son frère. T'es pas encore prête. Bon, parlons sérieusement. Qu'est-ce que tu veux en échange?

Sonia jubile. Elle sait qu'elle n'a qu'à demander et son vœu sera exaucé.

— J'aimerais que tu me passes ton manteau de cuir pour samedi soir. J'en ai besoin pour aller à l'école en moto.

— Quoi? T'es folle? Jamais de la vie!

5

Trop pour un soir

Jean-Marc est un garçon décidé. Il ne change pas facilement d'idée. Pourtant... Sonia a réussi. Ça n'a pas été facile. Une heure! Durant une longue heure, elle a utilisé toutes les armes dont elle dispose: chantage, explications, cajoleries...

Il a enfin cédé en se réservant le privilège d'exiger d'elle une future faveur de son choix et en l'accablant de recommandations. Après tout, son manteau, il l'a payé avec son argent et il n'a pas les moyens de s'en acheter un autre tout de suite.

C'est avec anxiété qu'elle attend l'arrivée de Stéphane. Son maquillage n'est-il pas un peu trop voyant? Et ces affreux boutons sur le front, elle n'en avait vraiment pas besoin aujourd'hui. Peut-être qu'en plaçant son toupet autrement, ça les cacherait? Et quel chandail devrait-elle porter avec ses jeans noirs, le mauve ou le vert?

— Ça n'a aucune importance, la taquine Jean-Marc. Il va faire tellement sombre dans la grande salle que tu pourrais y aller déguisée en chien et personne ne verrait la différence.

Sonia ne porte aucune attention à ses remarques, son frère ne vaut pas la peine qu'elle se mette en colère. Elle garde plutôt son calme et sa dignité et elle fait bien car Stéphane arrive.

En lui ouvrant la porte, elle constate qu'il est habillé avec le plus grand chic. Son pantalon en velours côtelé a une coupe digne des meilleurs couturiers. Sa chemise blanche ressemble à celle que Jean-Marc n'a pas pu s'acheter dernièrement à cause de son prix exorbitant. En guise de cravate, il a noué un ruban noir à la manière des artistes du siècle passé.

Sans plus de cérémonie, il embrasse Sonia sur les deux joues et lui demande si elle est prête. Elle acquiesce et enfile le manteau de son frère. Jean-Marc lui glisse un billet de deux dollars dans la main en lui expliquant:

— C'est pour payer le vestiaire. J'ai pas envie que mon manteau traîne n'importe où. Y a bien du monde qui pourrait avoir envie de le piquer!

— T'inquiète pas! dit-elle pour le rassurer. Je vais en prendre soin comme la prunelle de mes yeux. Si jamais je tombe en moto, je vais m'arranger pour atterrir sur la tête. O.K.

— Parfait! T'es chanceuse que j'avais pas à sortir ce soir, sinon tu l'aurais jamais eu.

Leur mère, Sylvie Pelletier, pour mettre un terme à cette conversation, émet ses conseils:

— Faites attention, une chute en moto, ça ne pardonne pas. Et j'aimerais que tu sois ici pour onze heures et demie.

Sonia est gênée et terriblement embarrassée par l'attitude trop protectrice de sa mère. Aussi, c'est avec un peu de précipitation qu'elle quitte la maison. De la fenêtre du salon, Sylvie et Jean-Marc observent leur départ. La femme secoue la tête et soupire:

— Elle aurait pu au moins nous le présenter!

Son fils pouffe de rire:

— Maman! C'est seulement son premier chum. Il n'a pas d'importance, attends que ce soit celui avec qui elle va vivre.

— Oh! Toi! fait-elle vexée par son manque de compréhension.

Stéphane fait vrombir son moteur. Il sent Sonia appuyée contre son dos. Avec elle derrière lui et sa moto qu'il contrôle du bout des doigts, il a réellement l'impression d'être au septième ciel. Que demander de plus pour avoir en main les guides de sa destinée? La soirée s'annonce formidable!

La griserie de sa liberté lui monte à la tête et il conduit d'une manière un peu plus cowboy qu'à l'accoutumée. Sonia n'est pas mécontente quand ils arrivent à la polyvalente. En entrant dans la grande salle, elle aperçoit Caroline et Charles qui dansent déjà. Elle fait un petit détour par le vestiaire, pour faire plaisir à son frère, puis vient les rejoindre avec Stéphane.

Sur la scène, quatre garçons, des anciens de l'école, se contorsionnent derrière leur instrument de musique pendant qu'une fille interprète avec brio une de leurs compositions. Ce sont eux, les Push-Poussez. Sonia ne peut s'empêcher de penser que c'est un nom à coucher dehors.

Heureusement que leur musique est fantastique. Il paraît qu'on appelle ça du hard-rock psychédélique. C'est complètement fou et bruyant. Tant mieux, ainsi elle n'entend pas toutes les idioties que Stéphane peut inventer. La musique l'excite et l'enivre. Elle balance les hanches et la tête au son du tempo. Parfois, elle ferme les yeux pour se laisser complètement envahir par le rythme. Toutes sortes d'images se baladent dans son cerveau. Il n'y a rien de tel pour créer des histoires.

Ses rêves intérieurs disparaissent subitement quand la chanteuse annonce au micro le premier slow de la soirée. Sonia accueille cela comme un entracte lui permettant d'aller s'acheter une liqueur, mais il n'en va pas de même pour Stéphane. Il attrape la jeune fille par la main et l'attire vers lui pour danser.

«C'est une habitude chez lui de ne jamais demander la permission! songe la jeune fille. C'est un vrai pot de colle, ce garçon.» Plus par politesse qu'autre chose, elle ne dit rien. À sa grande surprise, lui aussi, il se tait. Il se contente de lui sourire et de la serrer davantage.

Un petit frisson passe dans le dos de Sonia quand, la danse terminée, il l'embrasse dans le cou tout près de l'oreille et chuchote un remerciement. Elle est étonnée de sa propre réaction. C'est à croire qu'elle a aimé ça!

Pour cacher son trouble, elle se hâte d'aller aux toilettes. Caroline la suit de près.

— Et puis, comment tu le trouves le cousin de Charles? s'empresse-t-elle de lui demander.

— Y est correct, répond Sonia en se glissant rapidement dans le premier cabinet vide.

— C'est tout? s'étonne son amie.

En réalisant qu'elle parle seule, Caro retourne dans la grande salle auprès de son ami de cœur, Charles. Elle lui fait une moue qui signifie qu'elle n'a rien pu tirer de Sonia. Stéphane, en grande conversation avec un autre garçon de sa classe, ne porte aucune attention aux chuchotements de son cousin et de Caroline.

Quelques minutes plus tard, Sonia revient près d'eux, un verre de plastique à moitié vide à la main. Stéphane, qui la guettait du coin de l'œil, lui passe aussitôt cette remarque:

— T'aurais dû me le dire que tu avais soif. Je serais allé t'en chercher, une liqueur.

Guidée par son esprit d'indépendance, Sonia réplique:

— Je suis capable de m'en payer une toute seule.

Elle avale d'un trait le fond de son verre et demande vivement:

— Qu'est-ce que vous attendez pour retourner danser? La musique est pas à votre goût?

Sans prêter l'oreille à leur réponse, elle se faufile parmi les danseurs pour se mêler à eux. Tandis que Stéphane la suit, Caro et Charles préfèrent se trouver un coin tranquille pour se parler en amoureux.

Pour le plus grand plaisir de Sonia, les slows sont rares. Rien n'est plus mortel que les danses collées quand une fille essaie de garder ses distances! Ce n'est pas qu'elle trouve Stéphane antipathique, mais il devient de plus en plus entreprenant d'une fois à l'autre.

Au début, il se contentait de la serrer contre lui, puis il lui a caressé le dos longuement et maintenant... Maintenant qu'on est rendu au sixième slow de la soirée, il exagère. Sonia a bel et bien senti le pouce de Stéphane se promener en explorateur sur son sein droit pendant qu'il l'embrasse d'un baiser un peu trop humide!

Elle n'a pas envie d'en endurer davantage. Elle recule vivement et lui dit un non catégorique. Il prend son air le plus naïf et fait:

— Ben voyons, Sonia! Qu'est-ce qui t'arrive?

— Tu le sais très bien, Stéphane. Ça m'intéresse pas. C'est tout.

— T'es donc bien sainte nitouche! Y a rien là! bougonne-t-il.

— Pour toi, peut-être! Mais moi, j'aime pas ça.

— Correct! Correct! Saigne pas du nez pour ça! réplique-t-il en l'attirant de nouveau vers lui.

Elle l'écarte d'un geste de la main et lance bêtement:

— Aah! J'ai plus le goût de danser.

Elle se dirige vers sa copine qui est assise à l'autre bout de la salle, mais en l'apercevant enlacée dans les bras de Charles elle arrête son mouvement. Stéphane est derrière elle. Il glisse un bras autour de ses épaules et lui dit d'un ton enjôleur:

— Viens t'asseoir un peu, ça va te détendre. T'as pas arrêté de danser depuis le début de la veillée.

Il se fait plus pressant et l'embrasse sur la tempe. Sonia est déchirée. Elle aime et déteste à la fois l'attitude de Stéphane. Il va trop vite, toujours trop vite, et elle, elle a horreur d'être bousculée. Elle lui fait face et cherche ses mots pour lui expliquer:

51

— Stéphane, t'es bien fin, mais arrête d'embarquer dans mes souliers. J'ai besoin d'air. Depuis que je te connais, j'ai l'impression que tu essaies de penser à ma place et ça me fatigue!

— Si je t'embête à ce point-là, t'as rien qu'à le dire. Pas besoin d'une encyclopédie en douze volumes pour comprendre...

— C'est pas ça que j'ai voulu dire.

— Ça y ressemblait, pourtant!

— Aah! J'en ai assez, je m'en vais.

— Fais donc ce que tu veux, moi, je reste. Il est seulement onze heures moins quart. Trop de bonne heure pour partir.

— J'ai pas besoin de personne pour me reconduire. Je connais le chemin.

Elle lui tourne le dos et se précipite au vestiaire pour y récupérer le manteau de son frère. Pendant qu'elle disparaît par la sortie principale, Stéphane erre dans la grande salle en ruminant. Puis, il se décide brusquement et, d'un pas pressé, il va à la porte d'entrée. Trop tard, Sonia est trop loin pour qu'il la voie. L'orgueil l'empêche de lui courir après.

○

Il fait noir, le ciel est couvert. De toute façon, les lumières des lampadaires permettent rarement aux citadins d'admirer les étoiles. Sonia le sait, mais pourtant, elle aurait aimé en compter quelques-unes pour se changer les idées ou se rassurer. Oui, se rassurer!

Elle n'a pas l'habitude de se promener aussi tard le soir. Les mains bien enfoncées dans ses poches, elle circule d'un pas rapide. Elle souhaite du plus profond de son cœur qu'aucun voyou ne soit caché dans un coin pour la surprendre et lui arracher le manteau de cuir de son frère.

Depuis hier, Jean-Marc n'a cessé de lui répéter que les rues sont pleines de voleurs de manteaux de cuir! Il l'a fait exprès de lui raconter ces histoires de sadiques armés de couteaux qui sont prêts à vous faire la peau pour le moindre petit sac à main!

Un bruit de voix la fait sursauter. C'est un groupe de jeunes qui marchent en sens inverse sur l'autre trottoir. Pour les éviter, Sonia tourne au premier coin de rue et emprunte une ruelle qui lui servait de raccourci quand elle était plus petite. Bien à l'abri des regards, elle s'arrête et tend l'oreille. Les voix et les rires s'éloignent lentement.

Qu'aurait-elle fait s'ils l'avaient suivie? Et s'ils avaient essayé de s'en prendre à elle? Elle aime autant ne pas y penser. Et, de toute façon, elle est presque rendue chez elle. En sortant de la ruelle, elle aboutit dans sa rue. Encore deux coins et elle y est.

Plus elle avance, plus elle aperçoit le duplex où elle habite et plus elle se rassure. Quand elle n'est plus qu'à quelques maisons de chez elle, elle est tout à fait détendue. Ses peurs folles se sont envolées. Elle ne porte aucune attention à la voiture d'un voisin qui se gare à quelques mètres d'elle. Elle voit à peine l'homme qui en descend et qui contourne son véhicule pour passer devant elle.

Pourquoi devrait-elle s'inquiéter d'un voisin qui rentre chez lui? Pourtant au moment où l'homme l'agrippe d'un bras tandis que de l'autre main il tente d'ouvrir sa portière, elle réagit vivement. Ses réflexes, plus rapides que son cerveau, la font reculer. Elle se projette sur le dos dans une ultime tentative d'échapper à son agresseur.

Dans sa chute, elle entraîne l'homme sur elle. Tout se passe si rapidement, qu'elle a l'impression d'en perdre des bouts. Sans vraiment réaliser ce qu'elle fait, elle tend les bras devant elle pour se protéger. Au même instant, sa main retient un objet cylindrique et froid qui allait la frapper.

D'un regard épouvanté, elle reconnaît l'objet: une barre de métal! L'homme tire dessus pour la lui arracher. Sonia ne lâche pas prise, car elle comprend que s'il réussit, il pourra la frapper et la tuer. LA TUER! Il faut qu'elle se sorte de là. Son instinct de survie décuple ses forces et active ses cellules grises.

Les doigts de sa main gauche toujours crispés sur le fer, elle cherche avec son autre main à griffer l'homme au visage. Si seulement, elle pouvait lui accrocher une oreille, elle l'arracherait avec plaisir.

Elle se débat trop au goût de l'homme. Pour l'immobiliser, il lui plaque la main au visage et lui écrase la tête. Sonia gigote davantage pour ne pas étouffer et parvient à mordre la paume de son assaillant. Il pousse un juron et retire sa main d'un geste brusque.

C'est alors qu'elle en profite pour hurler. Ce premier cri le surprend. Il cherche des yeux si quelqu'un l'a entendu. Sonia hurle plus fort. Elle ne parvient à prononcer aucun mot, mais elle entend sa propre voix qu'elle reconnaît à peine. L'homme la frappe au visage pour qu'elle se taise. Un bruit de course et des vociférations inquiètent l'homme.

Il lâche subitement la jeune fille, lui abandonnant son arme improvisée. Aussitôt libérée, Sonia bondit sur ses pieds et court en direction de chez elle. Au milieu de la rue, une ombre lui bloque le chemin. Elle tente de s'en éloigner, mais celle-ci lui dit:

— Sonia, Sonia, c'est moi. Calme-toi!

— Jean-Marc!

Oui, c'est son frère qui est accouru en criant en entendant hurler sa petite sœur. Frémissante de peur, elle s'accroche à lui en répétant son nom. Derrière elle, un moteur s'allume et des roues crissent sur le sol. C'est son agresseur qui recule à vive allure, tous phares éteints, jusqu'au premier coin de rue. La voiture s'y engouffre et les deux jeunes perçoivent pendant un certain temps le bruit de la fuite du bolide.

Une quinzaine de minutes plus tard, ils ont tous dans la cuisine. Sonia, son frère, sa mère et deux policiers qui tentent de reconstituer les faits d'après le récit de la jeune fille. L'un d'eux est grand, costaud et, sous ses sourcils grisonnants, il a un regard ennuyé. L'autre est une femme, une longue jeune femme, aux cheveux coupés courts et à la voix douce, calme et chaleureuse. Avec elle, Sonia se sent en confiance. Il n'en va pas de même pour le bouledogue bourru qui mène l'enquête.

— Écoute bien, ma jeune demoiselle, si tu veux qu'on le retrouve, il faut que tu nous dises de quoi il avait l'air!

— Mais je le sais pas, moi! Il faisait beaucoup trop noir pour que je voie...

— Est-ce qu'il ressemblait à quelqu'un que tu connais? À un voisin? continue le policier en ignorant la réponse de Sonia.

Elle esquisse un haussement d'épaule, mais il l'interrompt:

— Prends ton temps pour réfléchir, c'est important. À quoi t'as pensé au moment où tu l'as vu?

— C'est vrai... J'ai d'abord cru qu'il s'agissait d'un voisin, admet Sonia, mais ensuite.... Non, je ne le connais pas.

— Il mesurait combien? questionne-t-il de nouveau.

— J'en sais rien, soupire Sonia excédée par les demandes répétées.

— O.K., j'ai compris, s'impatiente le policier.

Puis, il s'approche vivement de Sonia en lui ordonnant de se lever. Son ton est un peu trop sec et dur. Jean-Marc et sa mère font mine de s'interposer dans un réflexe pour protéger la jeune fille qui est déjà assez traumatisée pour cette nuit. Mais la policière intervient et leur fait comprendre que son collègue de travail connaît son métier, de ne pas s'inquiéter. Celui-ci se force pour prendre un ton plus aimable:

— Lève-toi, jeune fille. Allez, debout!

Sonia est étonnée, mais elle obéit. Le policier, qui est tout près d'elle, lui demande:

— Est-ce qu'il était grand comme moi?

Elle le regarde en penchant la tête en arrière et se dit que, s'il avait été aussi grand, elle l'aurait sûrement remarqué.

— Non, murmure-t-elle en souriant. Il était bien plus petit.

— C'est déjà un bon départ! s'exclame la policière. Ton agresseur mesure moins de six pieds et deux.

— Parfait! Toi, le jeune, approche ici, reprend le policier.

Il parle à Jean-Marc qui vient se placer devant sa sœur. Puis l'homme se retourne vers Sonia et demande encore:

— Plus grand ou plus petit que lui?

La réponse est un peu plus ardue à donner. Sonia réfléchit quelques secondes en se mordant les lèvres et s'écrie enfin:

— Plus grand! Un peu plus grand.

— Comme ça? fait aussitôt le policier en bougeant sa main au-dessus de la tête de Jean-Marc. Ou comme ça? Ou...

— Oui, là!

— Tu mesures combien, le jeune? fait l'homme sur son même ton direct.

— Presque cinq et neuf.

— Vendu pour cinq pieds et dix! lance le policier à sa collègue. Maintenant, jeune fille, regarde nous, ton frère et moi, et pense à la grosseur de l'homme.

— Maigre! dit Sonia très rapidement.

— Comme ton frère?

— Non, Jean-Marc est pas si maigre que ça. L'autre, c'était un paquet d'os.

— Ouh! C'est pas gros, ça, mademoiselle. O.K.... Finalement, tu te souviens de beaucoup de choses.

— Mais pas son visage, j'ai rien vu de son visage, rien...

— Et ses vêtements? Pantalons, chandails... jupes... cape de Dracula? N'importe quoi de spécial?

Le sourire malicieux et le clin d'œil du policier dérident Sonia. Et c'est plus détendue qu'elle dit:

— Son pantalon était foncé et son manteau aussi... dans une espèce de toile... court, le manteau. Je ne me rappelle rien d'autre.

— Ce n'est pas si mal, apprécie la policière. Le portrait que tu as fait pourrait se rapprocher de celui d'un autre agresseur qu'on nous a signalé dans le secteur, il y a quelque temps. Ah! oui, la voiture! As-tu une idée de la marque?

Sonia s'apprête à dire que pour elle, les bagnoles, c'est seulement un tas de ferraille et qu'elles se ressemblent toutes, quand son frère lui coupe la parole:

— Une Firebird, flambant neuve!

— Es-tu certain? demande le policier en fronçant les sourcils devant une réponse aussi précise.

— Je l'ai vue comme il faut. Quand il a reculé, ses lumières étaient éteintes, j'étais pas aveuglé, et en passant sous les lampadaires, j'ai remarqué sa couleur: rouge! Flashant comme ça, on ne peut pas le manquer!

Le policier prend note en souriant: un jeune de cet âge-là, ça rêve toujours de posséder une belle voiture. Il ne doit sûrement pas y avoir erreur sur la marque. Il se tourne vers Sylvie Pelletier.

— Bon, ça nous donne des renseignements supplémentaires, quoique sans le numéro de plaque... Désirez-vous aller à l'hôpital avec votre fille? Ce serait mieux de la faire examiner par un médecin...

— Non, je veux pas! s'écrie Sonia. J'ai rien, seulement un petit coup au visage, c'est rien ça! Et puis... je suis fatiguée! C'est donc long et compliqué, soupire-t-elle.

— D'accord, admet la policière. C'est vrai qu'on pose beaucoup de questions, mais c'est la seule façon que l'on a de savoir ce qui s'est passé. Ce soir, tu es encore sous le choc et tu es énervée. C'est normal, mais peut-être que demain ou plus tard, tu te souviendras de quelque chose, d'un détail qui peut paraître insignifiant... Pourtant, si ça arrive, téléphone au poste et demande à nous parler.

— Moi, je suis le sergent Picard, et la jeune dame qui me suit partout, c'est l'agent Ouellette. Inquiétez-vous pas, madame, poursuit-il en se tournant vers Sylvie, on va écrire dans notre rapport qu'on a constaté ses blessures. Vous pouvez la faire examiner quand ça lui tentera. On a ramassé le tuyau de métal, c'est une pièce à conviction. Si jamais il y a des empreintes, ça pourrait servir, mais... Enfin, je vous laisse le numéro de téléphone du poste.

Le policier salue et se tourne vers la porte. Au moment où il sort, l'adolescente s'écrie brusquement:

— Je l'ai mordu!

Tout le monde la fixe avec des yeux interrogateurs. Elle répète:

— Je l'ai mordu... à une main!

— Laquelle? demande l'agent Ouellette.

60

Sonia se regarde les deux mains en hésitant. La policière suggère:

— Prends les deux mains de ta mère et place une d'elles, la bonne, sur ton visage, de la même façon dont celle de l'homme était placée quand tu l'as mordu. Comme ça, on va savoir où il a une marque de morsure.

Sonia prend la main gauche de sa mère et tâtonne un peu avant de retrouver la position exacte. Il est évident qu'elle l'a mordu dans la paume à la base du pouce. Ce nouveau renseignement consigné dans leur carnet de notes, les deux officiers de la paix se retirent enfin. Sylvie se sent redevenir le chef de sa maisonnée. Elle va pouvoir reprendre fermement en main les guides de sa famille. C'est ce qu'elle croit, mais à son grand étonnement, Jean-Marc la devance:

— Comment ça se fait que ton épais de motard est pas venu te reconduire? fait-il d'un ton agressif en regardant sa sœur. Si t'étais revenue avec lui, rien de tout cela serait arrivé!

— Oh! Les nerfs, le grand! s'écrie Sonia surexcitée. Mêle-toi z'en pas. J'ai déjà eu ma claque pour ce soir, alors tes remarques, garde-les pour toi!

Ceci étant dit, elle leur tourne le dos et s'enfuit dans sa chambre dont elle claque la porte. Sylvie, avec une pointe d'impatience dans la voix, reproche à son fils ses paroles trop brusques.

— Tu trouves ça normal, toi? réplique Jean-Marc sur le même ton. Avec tous les fous qui courent dans les rues la nuit, c'est pas correct de laisser une petite fille de treize ans rentrer toute seule. J'aurais jamais fait une chose pareille! Attends que je le voie, lui. Il va savoir ma façon de penser. Est chanceuse, ma sœur, que j'avais laissé ma fenêtre ouverte. Sinon, personne ne l'aurait entendue et cherche où et dans quel pétrin, elle serait en ce moment!

Sylvie frissonne à cette pensée, puis se ressaisit et tente de calmer son grand:

— T'as pas tort, mais c'est pas une raison pour lui sauter dessus comme tu l'as fait. Elle a dû avoir assez peur comme ça, laisse-la un peu souffler. De plus, on ne sait pas ce qui s'est passé avec son ami.

— Ouais! J'ai ma petite idée là-dessus. Il avait l'air pas mal trop déluré à mon goût, celui-là... Attends, il va avoir de mes nouvelles...

— Jean-Marc, réfléchis avant de faire quoi que ce soit. Tu...

— C'est tout réfléchi! Je suis fatigué, je vais me coucher, lance-t-il soudainement pour couper court à la conversation.

Avant que Sylvie puisse émettre une objection, son fils a disparu dans sa chambre. La jeune femme se laisse tomber sur une chaise de la cuisine en soupirant. Elle se demande ce qu'elle a fait pour mériter tout cela. Puis, elle chasse très vite cette idée: ce n'est pas une question de mérite, mais de hasard! La roue de fortune s'est arrêtée sur son numéro: le 13 noir, impair, et manque! Oui, il s'en est manqué de peu que sa petite fille ne soit...

Sylvie frémit, se secoue et se dirige rapidement vers la chambre de Sonia. Elle cogne doucement à la porte. Une voix faible et ennuyée lui donne la permission d'entrer. En poussant la porte, la mère aperçoit sa fille blottie sous ses couvertures, le visage tourné vers le mur. Sylvie s'agenouille près d'elle et, la gorge serrée, incapable de prononcer un seul mot, elle se contente de lui caresser les cheveux.

Au bout de quelques instants, Sonia se retourne vivement et serre sa mère très fort contre elle. Elle la lâche aussi brusquement et lui dit bonsoir en tirant de nouveau les couvertures sous son nez. Sylvie la quitte sur une dernière caresse. En passant devant la chambre de son fils, elle voit le mince rayon de lumière s'éteindre sous sa porte. Elle hésite une seconde et poursuit son chemin.

Il est tard et elle se sent lasse. Elle s'allonge sur son lit et laisse enfin libre cours à ses émotions. Elle pleure silencieusement sur l'innocence de Sonia, son innocence qui s'effrite déjà.

6

Entre filles

Ce lundi matin, en mettant les pieds dans la classe de français, Sonia sait qu'elle ne peut tout cacher. Ça se voit! C'est là, marqué au beau milieu de son visage: un œil au beurre noir et une lèvre enflée et fendue! Elle est convaincue que tous les regards sont tournés vers elle. C'est tellement évident! Alors elle baisse les yeux et marche comme un robot jusqu'à sa place.

Quand Caro entre à son tour, elle a des choses à mettre au clair avec sa copine. Elle aurait bien voulu le faire hier, mais à chaque fois qu'elle appelait, Mme Pelletier lui disait que sa

fille était occupée ou sortie. En apercevant Sonia penchée sur ses livres et ses cahiers, Caro
n'hésite pas une seconde. Elle a un bon cinq minutes avant le début du cours, c'est amplement
suffisant.

— Hé! la grande indépendante! fait-elle en
lui touchant l'épaule. T'es partie vite, samedi
soir! Qu'est-ce qui t'as pris? T'es pas facile, toi!
Pour une fois que tu sors avec un gars, fallait que
tu le plantes là! Qu'est-ce qu'il t'avait fait pour
que tu te sauves?

Pendant ce petit discours, Sonia s'impatiente,
s'agite, bouillonne et explose finalement. En
relevant la tête, elle lance à Caroline:

— J'ai pas de compte à rendre à personne.
O.K.!

Elle replonge son nez dans ses travaux. Caro
ouvre des yeux démesurés à la vue des blessures
de son amie. Elle souffle tout bas:

— Sonia, qu'est-ce qui t'est arrivé? As-tu eu
un accident? Es-tu rentrée dans un poteau?

— Oui, un méchant poteau, fait Sonia pleine
de hargne. Un poteau qui voulait ma peau,
ajoute-t-elle en reniflant.

Incapable de se contenir davantage, la jeune
fille se lève précipitamment et se dirige d'un
pas rapide vers les toilettes. Suivie de près par
Caroline, elle passe devant Ben sans le remarquer. Lui, au contraire, n'a d'yeux que pour elle.
Il accroche Caro par le bras au passage et la
questionne sur les marques au visage de Sonia.

— Sais-tu, moi! s'écrie Caro énervée par la présence de l'adolescent.

Elle se dégage vivement et rattrape Sonia près du lavabo, abandonnant Ben à ses inquiétudes. Ici, dans ce sanctuaire réservé aux filles, il ne pourra pas venir les déranger. Sonia, courbée en deux, se remplit les mains d'eau qu'elle lape goulûment. Ça soulage sa gorge qui est trop serrée. Caro lui laisse à peine le temps de boire et l'entraîne dans un coin.

— Alors, c'est quoi ça? dit-elle en pointant l'œil tuméfié de Sonia.

Sonia hausse les épaules et murmure:

— Rien.

— Tu me prends pour une nouille? se fâche Caro. C'est un rien pas mal trop gros pour passer inaperçu. C'est quand même pas ta mère qui t'a battue, est assez fine... Ni ton frère non plus, il jappe fort, mais il ne mord pas! Allez, raconte!

Caroline parle fort, suffisamment pour attirer l'attention de toutes les autres filles occupées à retoucher leur maquillage ou à attendre une place libre. Sonia est horriblement gênée et toute cette situation la rend honteuse. Ses lèvres tremblent et l'empêchent de prononcer un seul mot.

Une grande de secondaire V s'approche d'elle. Sonia la reconnaît, c'est la chanteuse du groupe Push-Poussez. Celle-ci lui dit gentiment:

— Écoute, la petite, ce n'est pas de mes affaires, mais il est évident que tu as été agressée.

Ces choses-là, faut pas garder ça pour soi, c'est trop pénible. C'est pas une consolation, mais t'es pas la première à qui ça arrive.

— C'est vrai, renchérit une autre adolescente, y en a même une en IV qui a été violée l'été dernier...

— J'ai pas été violée, se récrie Sonia... Je me suis sauvée avant... Enfin, mon frère m'a sauvée avant...

— T'as eu de la chance dans ta malchance, si on peut dire, fait une troisième grande. Ça t'est arrivé quand? En fin de semaine?

— Samedi, en partant de la danse, commence Sonia.

À son grand étonnement, les mots sortent facilement et, avec des phrases courtes, elle raconte sa mésaventure, l'aide de son frère et la visite des policiers. Quand la cloche sonne pour annoncer le début des classes, elle achève à peine de commenter la façon dont le sergent de police la questionnait. La plupart des filles s'éclipsent avec un murmure de sympathie, sauf les trois grandes et Caroline qui restent auprès de Sonia.

Caroline est trop bouleversée pour dire quoi que ce soit. Le récit de son amie lui a donné un choc. Si elle n'avait pas sous les yeux les preuves de cette attaque sauvage, elle ne le croirait pas! Ces preuves, il faut les cacher ou à tout le moins les atténuer, voilà ce que pensent les autres filles. La jeune chanteuse prend sa trousse à maquillage et en sort un tube de fond de teint.

— Avec ça, explique-t-elle, on ne verra plus rien ou presque! Laisse-moi faire... Deux ou trois petites touches et ça y est. Tiens, regarde. C'est déjà mieux.

Sonia observe son reflet dans la glace. Le grand cercle bleuâtre autour de son œil est moins évident et la petite coupure sur la lèvre est à demi masquée, mais quel teint blafard, elle a! Comme si elle lisait dans sa tête, la grande fille lui applique du rose sur les joues.

— Voilà, c'est à peu près ce que je peux faire de mieux! Et au cas où vous ne le sauriez pas, on est en retard. Allez, ouste, tout le monde dehors!

Toutes les filles obéissent à cet ordre et sortent à pas lents. À quoi cela leur servirait-il de s'attarder davantage? On ne peut rien faire de plus.

○

Pendant que Sonia, qui n'a pas envie de parler à personne, mange son lunch seule dans l'amphithéâtre, Caro s'installe à sa place habituelle à la cafétéria. Elle demeure silencieuse aux côtés de Charles et Stéphane qui bavardent gaiement en plaisantant. Elle n'a pas envie de participer à leur rire sarcastique, ni d'écouter leurs blagues plus ou moins drôles. Elle mange du bout des lèvres en songeant à cette fameuse soirée de samedi.

Elle se sent un peu coupable: c'est elle qui a forcé la main à Sonia pour qu'elle vienne à la danse. Sans cela, son amie serait restée sagement chez elle et rien d'aussi fâcheux n'aurait pu se produire. Et puis, pourquoi est-elle partie aussi vite? Stéphane serait allé la reconduire après... tandis que là!... Que peut-elle donc avoir contre lui? Stéphane est gentil et plutôt beau garçon! Ce qu'elle peut être difficile, celle-là!

Elle en est à ce point dans ses réflexions quand Charles lui demande:

— Qu'est-ce qui t'arrive, aujourd'hui? T'as pas encore dit un mot. On te parle et t'écoutes même pas.

— Oh! rien! Rien de grave, répond-elle en évitant le sujet qui la préoccupe.

Elle a l'impression que cette histoire-là ne concerne pas les garçons. Une petite voix intérieure lui souffle qu'ils ne comprendraient pas le chagrin de Sonia.

— Voyons! Voyons! la petite carotte à son lapin Charlot, fait Stéphane en se moquant des deux amoureux, c'est pas beau d'avoir des cachotteries pour son ami! Si on veut être bien dans son cœur, il faut tout se dire, tout partager: son pouding au chocolat par exemple. Une bouchée à Caro, une à Charles et une à moi...

Sans se gêner, il pige dans le dessert de la jeune fille. C'est presque une habitude chez lui de piquer dans les assiettes des autres, mais en ce moment, Caro ne le trouve pas amusant.

— Prends-le donc tout, tant qu'à y être! J'ai même pas faim.

Elle se lève pour quitter la table, mais une voix la retient:

— Caroline! Qu'est-ce qu'elle a Sonia?

«Oh! Non! Pas lui», songe Caro en apercevant Ben qui lui bloque le passage. Elle soupire:

— C'est pas de tes affaires, laisse tomber.

Charles, qui est frustré par l'attitude de son amie durant l'heure du dîner, en profite pour mordre un peu Ben qu'il n'apprécie guère:

— Tu vois pas que tu déranges le monde? Pas moyen de s'amuser tranquille sans que tu nous colles dessus. Envoye, super crazy-glue, disparais!

— Toi, le grand zouave, écrase! Y a des affaires bien plus importantes dans la vie que les niaiseries que ton cousin et toi vous vous racontez à longueur de journée! s'écrie Ben qui n'a pas envie de s'en laisser imposer.

Il se tourne aussitôt vers Caro et demande de nouveau:

— Qu'est-ce qu'elle a Sonia? Je suis sûr que tu le sais. T'es pas restée dix minutes toute seule avec elle sans qu'elle te raconte tout.

Caroline pince les lèvres avec impatience et se demande de quoi il se mêle celui-là. Charles ne laisse pas à son amie le temps de répondre et retourne l'insulte à Ben:

— Hey! le super-sans-tête, t'es pas capable de voir que c'est pas de tes affaires? Sonia, ça te regarde pas!

— C'est peut-être lui que ça regarde? poursuit Ben en pointant du doigt Stéphane. Comment ça se fait qu'après être sortie avec toi, samedi soir, elle a le visage tout magané, comme si tu l'avais battue?

Stéphane qui n'avait rien dit jusque-là parce qu'il s'amusait en silence de l'altercation, trouve que la discussion prend une tournure inattendue. Il se lève d'un bond et questionne Caro:

— C'est quoi cette histoire-là? Sonia est blessée?

— Tu fais l'innocent? Descend de ta trottinette et ouvre tes yeux. Sonia a un black eye et la lèvre coupée. Pis, je me demande bien ce que t'as à voir là-dedans! reprend Ben furieux.

— Arrête d'inventer des affaires, toi, O.K.! se fâche Stéphane. Il doit te manquer des vis dans le plafond pour accuser le monde de...

— Oh! Ça suffit, s'impatiente Caroline.

Elle en a assez de voir ces trois garçons monter sur leurs grands ergots comme des coqs dans un poulailler. Pensant clore l'échange trop venimeux qui se déroule autour d'elle, elle dit enfin:

— Sonia a été attaquée par un maniaque, samedi soir après la danse.

Trois remarques différentes fusent en même temps autour d'elle:

— C'est une blague!

— Elle aurait pas dû partir seule...

— Comment ça? Elle était pas avec toi?

Caroline ne pourra pas s'en sauver. Il lui faut expliquer dans tous ses détails la terrible fin de veillée qu'a connue Sonia.

7

Ah! Les gars...

Tout en prenant ses affaires dans sa case, Sonia se dit que cette journée d'école ne s'est pas si mal déroulée. Enfin ce fut mieux qu'elle l'avait imaginé. Personne ne lui a fait de remarques désobligeantes, au contraire, elle a même eu droit à de la sympathie qu'elle n'attendait pas.

Elle se sent soulagée; l'anxiété de ce matin a disparu. Quand elle voit Ben qui s'approche d'elle, elle lui sourit.

— Salut! Ça va? fait-il d'une voix qui manque d'assurance.

— Bien sûr.

— Certain? insiste-t-il. C'est que... Caro m'a expliqué pour... pour ton œil... Alors, je voulais savoir comment tu te sentais.

Sonia soupire de déception. La Caro, elle ne pouvait pas tenir sa langue? Maintenant, toute l'école doit être au courant! Comme un défi, elle dit en levant le menton:

— Regarde! J'ai tous mes morceaux, il ne me manque rien. Tout est parfait dans le meilleur des mondes.

Ben ouvre la bouche, mais c'est quelqu'un d'autre qui s'écrie derrière lui:

— Ah! Si c'est pas Sonia... la Musclée! La reine des batailles de rue!

C'est Charles, Charles la grande gueule comme Sonia a envie de le surnommer en ce moment, qui vient de la saluer d'une façon sarcastique. Sonia hausse les épaules et continue de fouiller dans sa case. Ben claque de la langue avec un air exaspéré: il n'avait vraiment pas besoin de la présence du zouave. Et tous les autres étudiants qui sont là dans le vestiaire et qui tendent l'oreille: ils sont donc curieux!

— Charles, t'es pas drôle, chuchote Caro qui le suit de près avec Stéphane.

Sans tenir compte de la réflexion de la jeune fille, il fait un clin d'œil à son cousin et poursuit:

— Tu sais que c'est très mal, ce que tu as fait là, Sonia?

76

Sonia qui est bien décidée à ne pas entretenir une conversation avec lui, ne bronche pas. Mais Ben n'entend pas laisser Charles insulter son amie.

— De quoi tu parles, le grand pic? Tu...

— Tout ce que je veux dire, c'est qu'elle aurait pu traumatiser pour la vie ce pauvre petit maniaque. Y as-tu pensé? Le mordre en pleine rue et réussir à le faire fuir... Il a dû se sentir terriblement frustré après un tel échec!

De petits rires étouffés fusent autour de Charles qui sourit béatement, fier de son intervention. Caro s'exclame:

— T'exagères!

Sonia lève les yeux au ciel en se disant qu'il est vraiment débile. Stéphane reste muet dans son coin et se mordille l'intérieur de la joue nerveusement. Ben rage, il lui faut une victime. Il pourrait bien sauter sur Charles, mais... l'attitude silencieuse de Stéphane le choque davantage. Alors, il lui dit pour le provoquer:

— Pis toi, tu faisais quoi pendant ce temps-là? Tu te cachais peut-être derrière ton cousin? À part conduire une bécane, y a-tu quelque chose que tu sais faire dans la vie?

— Benoît Ladouceur, répond Stéphane aussitôt, ménage tes transports. J'ai pas de comptes à te rendre, et encore moins des explications à te donner. Ce que j'ai fait et pourquoi, Sonia le sait et c'est bien suffisant. Pas vrai, Sonia?

Mais la jeune fille n'est déjà plus là. Elle ne veut rien savoir de personne et encore moins de ces trois bouffons qui s'amusent à ses dépens. D'un pas rapide, elle s'enfuit du vestiaire. Fuir, oui, fuir les rires de tous ces étudiants. Ils se moquent d'elle, elle en est convaincue. Tout le monde se moque d'elle!

Elle franchit à peine la porte quand Caroline la rattrape:

— Sonia! Sonia! Sauve-toi pas. Je t'accompagne.

— J'ai pas besoin de toi, laisse-moi.

— Non, écoute.

— Écouter quoi? s'écrie vivement Sonia en se retournant. Que tout le monde se paie ma tête! Écoute-les, ils rient.

— Non, Charles blague un peu, mais c'est pas méchamment. Il essayait seulement de te faire sourire. Et puis, j'ai plutôt l'impression qu'ils vont se battre, Ben et Stéphane... Penses-y, deux garçons qui se battent pour une fille, ça devrait te faire un petit velours!

— Ce que tu peux être vieux jeu! Pis, à part ça, ajuste tes lunettes: Ben n'est pas en train de se battre avec Stéphane, mais avec Charles. Est-ce que ça te fait un petit velours?

En effet, Charles et Ben se bousculent et se tapochent entre les casiers au grand plaisir d'un certain nombre de spectateurs réunis autour d'eux. Caro court vers le champ de bataille en criant: «Oh! non! Charles!» Sonia hausse les épaules et quitte l'école précipitamment.

Dehors, la température est douce, mais pourtant, Sonia frissonne. Elle penche la tête et avance en comptant les lignes sur le trottoir. C'est un truc qu'elle a découvert toute petite pour que le chemin lui semble moins long. Ça lui donne l'impression de marcher plus vite. Aujourd'hui, ça l'empêche surtout de penser.

«Quinze, seize, dix-sept, ce que les gars peuvent être cons! Vingt, vingt et un, plus débiles que ça, tu meurs! Tout ce qu'ils veulent c'est tripoter les filles ou se chamailler comme des chats. Des vrais bébés! Où j'étais donc? Je recommence. Un, deux, trois, quatre, pis Caro est pas plus fine. Ça devrait te faire un petit velours! Qu'a couche avec son petit velours et qu'elle me laisse tranquille!»

Sonia ralentit soudainement son allure. Une question vient de lui traverser l'esprit. Caroline, est-ce que... elle et Charles couchent ensemble? C'est possible. Sonia ne pourrait pas le certifier, mais parfois quand elle les voit se bécoter, elle les trouve — comment dire? — très intimes.

«Bien sûr que ça ne me regarde pas! songe-t-elle avec une subite colère. Ce n'est pas de mes affaires. Caro peut bien faire ce qu'elle veut. Jean-Marc peut bien coucher avec qui il veut. Stéphane peut bien s'amuser avec qui il veut. Ce n'est pas de mes affaires. Moi, je ne veux pas jouer à ça. Moi, je ne suis pas comme ça. Je suis

79

différente... mais j'aimerais tellement être comme tout le monde et aimer ça. Je ne suis pas capable, j'ai peur... J'ai peur quand on me touche. Je ne sais pas pourquoi, mais j'ai peur!»

Pour ne pas céder à la panique qui s'empare d'elle, la jeune fille s'efforce de respirer lentement et de diminuer le rythme de ses pas. Elle se dit qu'elle n'a rien à craindre. Pas en plein jour, pas sur son chemin habituel. Elle cherche à se convaincre par de belles paroles. Elle réalise que le frisson qui l'agite depuis l'école n'est pas dû au froid, mais à la peur.

Elle reprend le compte des lignes pour faire le vide dans son esprit. Elle est déjà dans sa rue. Elle est rassurée à la vue des voitures qui y passent et des voisins qui vaquent tranquillement à leurs activités. En s'approchant de son domicile, elle reconnaît derrière elle le bruit d'une moto. Quelques secondes plus tard, Stéphane se stationne à ses côtés.

Les lèvres serrées, elle le fixe d'un regard dur. Quelles niaiseries va-t-il encore prononcer? Stéphane ôte son casque et se passe la main dans les cheveux avant de poser des yeux timides sur la jeune fille. Puis, il dit simplement:

— Je suis désolé! Vraiment!

Sonia s'attendait à tout sauf à ça. Il aurait pu lui dire qu'elle ressemblait à un bachi-bouzouk aux oreilles en porte de grange qu'elle n'aurait pas été plus surprise. Durant une ou deux secondes, elle se demande s'il est sérieux. Le plus terrible, c'est qu'il l'est. Si au moins, il se montrait fendant ou désagréable, elle aurait une raison de continuer d'être en colère contre lui. Mais non! il a l'air repentant comme un chiot qui sait qu'il a commis une bêtise.

— Ça change quoi? grogne-t-elle.

— Rien, sauf que... je voulais que tu le saches, répond-il avec un haussement d'épaules.

Il a du culot, oui, il a du front tout le tour de la tête. Un peu plus et Sonia aurait envie de le mordre. Évidemment que ça ne change rien et ça ne l'avance guère de le savoir. Ah! Les gars! Faut toujours qu'ils compliquent tout avec leur fausse allure de clown macho doublé d'un pitou piteux repentant. Ils ne pourraient pas se contenter d'être naturels et cesser de bousculer les filles! Elle a l'air de quoi, là, debout sur le trottoir à écouter les balivernes de ce beau parleur. Elle s'agite et pourtant, ne bouge pas.

Stéphane ne perd pas espoir de reprendre avec elle, il continue sur le même ton:

— L'autre soir, j'étais vraiment content de sortir avec toi. Je voulais seulement te montrer que j'étais bien avec toi dans mes bras...

— Pour me montrer... j'ai vu, mais pas la même chose que toi! T'apprendras, Stéphane Patenaude, que je suis pas une tomate pour être tâtée comme ça!

— C'est pas ce que j'ai pensé de toi! se défend-il. Mais quand je t'ai serrée contre moi, ça m'a donné le goût de...

Ça lui a donné le goût d'elle. C'est la vérité, mais est-ce qu'une chose comme ça peut se dire à une fille? Le désir, est-ce que ça se contrôle?

— Le goût de me pogner comme un cochon! se fâche-t-elle.

— Non, tu comprends pas! C'est pas ce que...

— Ce que je comprends, c'est qu'il y a une grosse ressemblance entre ce qui s'est passé à la danse et après dans la rue, là en face, fait-elle en pointant du doigt l'endroit où elle a été attaquée.

— Sonia, tu fais erreur. Compare-moi pas avec le fou qui t'a sauté dessus. C'est pas pareil...

— Ah! Oui! Où elle est la différence?

— Lui, il s'en foutait de se trouver n'importe quelle fille et de lui faire mal pour le kick de se donner un peu de fun. Moi, je suis capable de te respecter.

— Pourquoi tu l'as pas fait d'abord, samedi soir?

— C'est parce que... t'es l'amie de Caro. Pis, elle et Charles sont rendus tellement loin ensemble que j'ai cru que... comme tu es toujours avec elle... que t'étais plus avancée que ça, finit-il par avouer.

— Caro et moi, c'est deux filles différentes. Elle fera bien ce qu'elle voudra avec son grand dada. Je ne suis pas obligée de me jeter en bas du pont Jacques-Cartier si elle le fait.

— Ah! vraiment! Quand est-ce que Caro a décidé de faire ça? plaisante-t-il et il ajoute très vite, comme pour s'excuser: C'était une blague, juste une petite blague. Je recommencerai plus, promis.

Devant le sourire enjôleur et taquin de l'adolescent, Sonia soupire et ne peut retenir un petit rire. Il est incroyable ce garçon, même dans les pires moments, il s'arrange pour la faire sourire. La glace qui emprisonne le cœur de Sonia fond doucement. Elle ne le pensait pas réellement quand elle l'a comparé au maniaque, mais elle avait trop besoin de se venger sur quelqu'un. Pourquoi pas sur lui? Maintenant, elle le regrette.

— Stéphane, commence-t-elle sur un ton plus amical, je...

Le garçon profite de ce changement d'attitude pour prendre la main de Sonia. Elle hésite un peu parce qu'elle trouve que, par ce geste, il redevient rapidement possessif. Comment lui faire comprendre?

Une voix brusque, derrière elle, met fin à son dilemme:

— T'es pas gêné, toi, bonhomme, de revenir ici après ce qui s'est passé l'autre soir? Ben, c'est peut-être mieux de même. T'as des explications à me donner!

C'est Jean-Marc, le grand frère, qui arrive du cégep, un porte-document à la main. Il va enfin avoir l'occasion de dire sa façon de penser au petit rigolo qui a laissé tomber sa sœur, samedi. Sonia soupire un «Pas rapport!» exaspéré, tandis que Stéphane se met sur la défensive. Cette confrontation ne lui plaît pas du tout.

— Je vois pas ce que tu veux dire...

— C'est pourtant pas compliqué à comprendre, poursuit Jean-Marc en se plantant bien droit devant Stéphane. Si tu te donnes la peine de venir chercher Sonia à la maison, tu te donnes aussi celle de la reconduire. Des gars comme toi qui sont pas fichus d'avoir ce minimum de bonne conduite, j'en veux plus qui rôdent autour d'elle. C'est clair et net, non!

— Jean-Marc, arrête, essaie de dire Sonia.

Stéphane parle plus fort qu'elle en répondant:

— Tu te prends pour qui, toi? T'es pas son père. Je peux...

— Non, mais si notre père était encore vivant, je suis sûr que c'est ça qu'il te dirait. Je pense pas que tu sois quelqu'un de très responsable et à qui on peut se fier...

— Qu'est-ce que t'en sais? Je trouve que tu juges le monde un peu trop vite. Si ça me tente de sortir avec elle, c'est moi que ça regarde. Toi,...

— Moi, justement, j'étais là pour la protéger, pas toi...

Sonia en a ras-le-bol. À bout de nerf, elle crie:

— Sale race de gars! Je suis tannée de vous voir toujours essayer de contrôler les filles. Vous pouvez pas nous laisser vivre un peu. Je veux la paix, la paix, la paix!

Sur ce, elle tourne les talons et entre dans la maison, abandonnant ses deux chevaliers servants à leur sort. L'objet de leur dispute les ayant plantés là, les deux jeunes se regardent, mal à l'aise. Stéphane, le premier, sort de sa torpeur en prononçant ce reproche:

— Je venais à peine de me réconcilier avec elle et il a fallu que tu gâches tout.

Il enfonce son casque sur sa tête et met en marche son moteur. Sans un mot de plus, il démarre et laisse Jean-Marc qui marmotte:

— C'est ça, le cave. Tu veux l'aider et c'est contre toi qu'elle se retourne. Ça t'apprendra à te mêler de ses histoires. Qu'elle se débrouille toute seule la prochaine fois.

Pendant ce temps, à quelques rues de là, Ben fait claquer furieusement ses talons en se rendant chez lui. Il pense qu'il n'y a pas de justice à cette maudite polyvalente. Charles le zouave n'a eu qu'un avertissement parce qu'il est un élève modèle, tandis que lui, il a hérité d'une suspension de deux jours pour s'être battu.

«À cause de votre mauvaise conduite antérieure, lui a dit M. Houde, je me dois d'être sévère.»

Sévère! Aux yeux des étudiants, le directeur l'est toujours.

«Que cela vous serve de leçon, monsieur Ladouceur! Et nous allons immédiatement prévenir vos parents.»

Évidemment! Ben est même persuadé que cela fait plaisir au directeur d'appeler son père. Il va lui radoter qu'avec un garçon comme ça, il faut de la poigne.

«Les vestiaires de l'école ne sont pas des arènes de lutte. Et cette agressivité dont vous faites preuve, n'a rien de positif, au contraire.»

Peut-être, mais quel soulagement de pouvoir étamper le grand zouave de Charles. Ben aurait pu sauter sur Stéphane, mais... non, c'est Charles qui l'a fait sortir de ses gonds.

«Ce n'est pas une attitude à avoir dans la vie. Aucun problème ne se règle avec ses poings, apprenez-le! Profitez bien de ces deux jours pour vous calmer et ainsi revenir avec de meilleures dispositions et des manières plus appropriées, car...»

Ben avait l'impression d'être un repris de justice ayant récidivé pour la $x^{ième}$ fois. Pourtant, depuis qu'il va à l'école (et ça fait déjà trop longtemps à son goût) jamais encore, il ne s'était battu. C'était la première fois! D'accord, il n'a pas toujours été à son affaire durant les cours, il s'est souvent fait mettre à la porte de la classe parce que son exubérance dérangeait, mais jamais il n'avait été violent auparavant.

Mais cet après-midi, il a vu rouge. Déjà, ce matin, quand il a aperçu les blessures de Sonia, il s'est senti de travers. Puis, quand Caro lui a tout raconté, une rage douloureuse s'est emparé de lui. On aurait dit qu'il souffrait pour elle. Et ensuite, quand cet idiot de Charles a ouvert sa grande gueule pour dire des stupidités, il a eu envie de... de...

Il s'arrête brusquement devant la vitrine d'une pâtisserie et y voit le visage d'un adolescent au regard empli de haine, aux mâchoires tellement serrées par la colère qu'il en est déformé. Ce visage, c'est le sien, c'est son reflet dans la vitre du magasin. Ben réalise qu'il était prêt à tout casser pour défendre Sonia. Il découvre au fond de lui, une violence qu'il ne connaissait pas.

«C'est pas moi! Ce fou-là, c'est pas moi!» songe-t-il dérouté.

Cette subite découverte l'assomme et le ramène les deux pieds sur terre. Il secoue vivement la tête. Un autre problème l'attend à la maison. Comment expliquera-t-il à son père, sa mise à la porte de l'école? Ce n'est que deux jours, mais il ne chômera pas durant ce temps. Il sait d'avance qu'il devra travailler à la quincaillerie familiale et endurer, entre deux clients, les sermons paternels.

Quand il pousse la porte du magasin de son père, il voit, derrière le comptoir, les yeux furibonds de son paternel. Aucun doute, ce soir, il va avoir droit à une beurrée de reproches. Et connaissant son père, Ben sait que la fameuse tartine sera épaisse!...

8

Le grand sec
à la morsure

En réalité, elle n'avait aucune raison de le faire. Quoique... Est-ce un petit remords qui l'a poussée? Après tout, s'il s'est battu c'est à cause d'elle. Et puis, Sonia trouve que le directeur a abusé de la situation. Deux jours de suspension, c'est dur!

Alors, elle est allée chez Ben après la classe. Histoire de lui donner des nouvelles de l'école: après-demain, examen de maths, remise de la dernière production écrite en anglais, quatre pages à lire dans le livre d'environnement physique. Bref, la routine du secondaire.

Quand elle quitte la quincaillerie après une conversation succincte et surveillée de près par le père de Ben, l'adolescent s'installe discrètement à la vitrine pour la voir le plus longtemps possible. Il a l'impression qu'au moins une personne pense à lui. Mais il est déçu, déçu de lui-même. Pourquoi faut-il qu'à chaque fois qu'il est devant Sonia, il ne trouve rien d'intéressant à lui dire? Dans sa tête, c'est toujours le vide total. Est-ce que ça existe des cours de bavardage pour attirer les filles? Il songe à Stéphane qui possède l'art de parler pour ne rien dire en douze volumes! Il y en a qui ont vraiment tout: la facilité de communiquer, l'argent, la moto et même Sonia...

Il soupire et retourne à son travail qui consiste à remettre de l'ordre sur les tablettes. Les clients le font exprès pour mêler les vis à têtes carrées avec celles en étoiles, les pentures de deux pouces et demi avec celles d'un pouce et quart.... À croire qu'ils ne sont pas capables de toucher à quelque chose et de le replacer au bon endroit.

— Ben! l'appelle sèchement son père. J'ai déjà un client à servir, occupe-toi de celui qui vient d'entrer.

Ben acquiesce d'un hochement de tête et se dirige vers le nouveau venu.

— Peux faire quelque chose pour vous, m'sieur?

— J'ai besoin d'un tuyau de deux pieds.

— C'est par ici, fait Ben en marchant vers le mur du fond. On en a en plastique rigide de différentes grosseurs et en..

L'homme l'interrompt et pointe du doigt un long tuyau de métal en disant d'un ton sec:

— Celui-là! J'en veux deux pieds. Grouille-toi.

«Pas commode, le bonhomme!» songe Ben en jetant un regard oblique à son client. Celui-ci est assez grand, maigre. Ce que remarque surtout Ben, c'est sa bouche qui est entrouverte: la lèvre inférieure semble trop épaisse et trop avancée pour s'ajuster convenablement à la supérieure. Il ressemble vaguement à un poisson qui tète les vitres des aquariums.

Ben baisse les yeux sur son travail et achève rapidement de tailler le tuyau. L'homme lui tend un billet de dix et l'adolescent lui remet sa monnaie sans dire un mot. Quelques pièces tombent par terre. Ben les ramasse et les dépose dans la main du client. Et c'est là qu'il voit la marque. Elle lui saute aux yeux et le fige sur place. Bien en évidence à la base du pouce, il y a une trace de morsure.

Avant que Ben puisse réagir, l'homme est déjà dehors et installé dans sa voiture. Une Fire-bird rouge! Et Sonia qui était ici, il y a à peine deux minutes, est-ce que?...

Stéphane n'a pas eu de chance aujourd'hui. Il espérait bien pouvoir reprendre de nouveau avec Sonia, mais elle a refusé de lui parler. Il avait même apporté avec lui un second casque pour inviter la jeune fille à une balade en moto. Mais devant l'entêtement de Sonia, il a dû abdiquer. Ce sera peut-être pour demain.

Après avoir jasé longtemps dans la cour de la polyvalente avec des gars de sa classe, il se décide enfin à quitter les lieux. Comme il n'a pas envie de rentrer tout de suite, il erre dans le faubourg St-Rock. Il roule sur le boulevard de La Passerelle jusqu'aux Églantiers. En prenant à gauche, il se rend au Chemin de la Falaise et grimpe jusqu'au Croissant St-Rock. À la lumière, il hésite: traverser la grande avenue pour se promener dans les champs en face ou suivre le croissant direction ouest?

Il choisit finalement la dernière option, car il a envie de piquer une pointe de vitesse. Il longe ainsi les limites du quartier et croise presque toutes les rues, même celle de La Passerelle. Un peu plus loin, au coin de Dodgson, il aperçoit Ben qui gesticule sur le trottoir. Aucun doute, c'est à lui qu'il fait signe.

«Qu'est-ce qu'il peut bien me vouloir, celui-là? pense-t-il avec un peu de hargne. S'il me cherche, il m'a trouvé!»

Stéphane traverse et s'arrête devant Ben.

— C'est quoi ton problème? attaque immédiatement Stéphane. T'as l'air d'un singe qui court après sa banane.

— Laisse faire tes paroles aimables, s'écrie Ben en s'emparant du casque qui pend à la poignée de la moto. Tu tombes pile. J'ai besoin de toi.

— Mais qu'est-ce que..., proteste Stéphane.

— Le fou, celui qui a attaqué Sonia, je l'ai vu. Regarde, c'est l'auto rouge qui attend à la lumière.

Ben enfourche la moto et crie à Stéphane d'avancer, mais celui-ci ne bouge pas. Il objecte plutôt:

— C'est pas parce qu'il a une voiture semblable que c'est le même gars!

— J'ai vu où il a été mordu. Là! Dans la main. Avance, la lumière a changé, on va le perdre.

Stéphane accepte enfin le rôle que Ben veut lui faire jouer et rince son moteur. L'aventure le grise et c'est avec le sourire aux lèvres qu'il lance sa moto à la poursuite de la Firebird, en dépit de toute prudence. Malheureusement pour les deux jeunes, la voiture a trop d'avance et ils la perdent de vue dans la grande courbe du croissant St-Rock.

Ben fouille des yeux les alentours, mais ne la retrouve pas. À tout hasard, Stéphane tourne sur la rue des Églantiers. C'est une grande artère, il est possible que leur maniaque l'ait empruntée. Stéphane conduit jusqu'à l'hôpital puis, n'ayant rien aperçu de suspect, il vire de bord. Il se demande si le conducteur de l'auto rouge les a repérés. C'est possible, Ben ne passait pas inaperçu sur le trottoir. Alors le fou est caché quelque part!

La moto revient au croissant juste à temps pour voir la fameuse voiture sortir d'une petite rue transversale. Stéphane est convaincu qu'il a essayé de les semer. Ben crie pour se faire entendre:

— Approche-toi qu'on puisse lire le numéro de sa plaque!

Sans répondre, Stéphane essaie de gagner du terrain, mais la voiture coupe au sud et traverse la voie ferrée. Stéphane fait de même et se retrouve dans un vaste terrain vague. Il n'y a plus vraiment de rue, mais plutôt un chemin de terre cahoteux. Stéphane sent que le vent tourne en sa faveur. La Firebird a le derrière beaucoup trop bas pour l'endroit, elle doit ralentir, tandis que lui, avec sa moto tout terrain...

Une idée folle germe dans son esprit: pourquoi ne pas couper la route à l'affreux bonhomme et le forcer à sortir de sa voiture? Et s'il arrêtait le maniaque, ce serait encore mieux! Sans se soucier des bosses et des trous, il bifurque un peu vers la droite et tente de dépasser la voiture. Ben s'agrippe de toutes ses forces au siège de la moto, mais il sent que ses doigts glissent à chaque bond.

La moto se faufile entre les arbustes et se place enfin devant la voiture qui dérape brusquement en freinant. Ben qui ne peut résister à la dernière secousse de la moto, tombe et s'étale de tout son long à quelques pieds de la Firebird. Plus mort de peur que blessé, Ben ne bouge plus. Stéphane qui, lorsqu'il est seul, maîtrise parfaitement son engin serre la voiture de plus près pour la forcer à stopper.

Le chauffeur de la Firebird, excédé par ce petit jeu dangereux, arrête sa voiture et ouvre violemment la porte. Stéphane qui croit avoir gagné, abandonne sa moto sur le sol et fonce sur l'homme. Celui-ci n'a pas l'intention de se laisser faire et, sortant le tuyau qu'il vient d'acheter, il en frappe un grand coup sur la tête de Stéphane.

Étourdi par le choc, l'adolescent s'écroule. L'homme va donner un autre coup quand Ben se met à hurler:

— La police, v'là la police!

L'homme retient son geste, puis il remonte dans sa voiture et s'éloigne à grand bruit. Ben se relève et court vers l'autre jeune:

— Stéphane, Stéphane, t'as rien?

Stéphane, agenouillé sur la terre, lui répond d'une voix désespérée:

— T'appelles ça rien, toi! Regarde mon casque, il a une poque. Si jamais je tombe en moto, je me fracture le crâne, c'est certain.

Cette phrase, au lieu de faire rire Ben, le met en colère:

— Hey! le cave! Es-tu malade? Je t'ai pas demandé de le suivre pour jouer à Rambo, mais seulement pour voir son numéro de licence. Avec tes niaiseries, on aurait pu se faire tuer tous les deux. Espèce de pas d'allure! C'est toi le super pas de tête!

— Les nerfs! Les nerfs, Ladouceur! Sur ma moto, c'est moi le boss. Pis à part ça, son numéro c'est KPZ 242. J'ai des bons yeux, moi.

— N'empêche que c'était dangereux, reprend Ben en se calmant. En tout cas... on sait un peu mieux à qui on a affaire.

— Je vois pas en quoi? ironise Stéphane. Le type s'est sauvé. Pour le retrouver, il faudrait peut-être passer une petite annonce dans le journal. Perdu chien enragé au volant d'une minoune rouge, numéro de collier K comme Krack pot, P comme pitbull et Z comme...

— Zouave! T'es pire que ton cousin. Toi pis moi, ça nous donne peut-être rien, mais la police va être bien contente de l'avoir ce numéro-là.

— La police..., soupire Stéphane que l'idée n'enchante guère.

— C'est quoi ton problème, t'as pas ton permis de conduire?

— Bien sûr que si! Arrive, rétorque Stéphane en soulevant sa moto.

Quand Ben est assis derrière lui, Stéphane lui fait cette remarque:

— Tu sais, avec les policiers, on devrait peut-être pas trop insister sur le petit rodéo que j'ai fait en dernier...

Ben sourit et accepte:

— Compris, on leur dira qu'il s'est arrêté de lui-même en nous voyant, c'est tout!

Rassuré, Stéphane démarre. Au poste de police, qui n'est pas très loin de la polyvalente, les deux jeunes racontent leur aventure et expliquent le rapport qu'il y a avec l'agression de Sonia. Grâce à un ordinateur, le policier qui prend en note leur déposition sait en quelques minutes que la voiture qu'ils ont suivie a été volée samedi dernier.

— De mieux en mieux, fait l'agent, vol qualifié en plus de tout le reste. Malheureusement, ça nous aidera pas à le retrouver. Surtout que maintenant qu'il se sait repéré, il y a de fortes chances qu'il abandonne la voiture. D'ailleurs, c'est surprenant qu'il ne l'ait pas déjà fait. Il doit avoir une bonne cachette!

— Comme dans le terrain vague? propose Stéphane.

— Oui, il n'y a pas beaucoup de gens qui vont là, reprend l'agent. Nos chances de mettre la main sur votre bonhomme sont plutôt minces.

— Mais on l'a vu comme il faut..., commence Ben.

— Suffisamment pour le reconnaître? s'informe le policier.

Les deux jeunes en sont certains. Ils l'ont vu d'assez près pour ne pas se tromper. L'agent va chercher quelques fiches fixées sur un babillard et les montre aux adolescents. En même temps, ils pointent du doigt le portrait robot d'un homme à la lèvre inférieure trop avancée.

— Ça lui ressemble, remarque Stéphane.

— Oui, c'est lui, affirme Ben.

— Dans ce cas, votre amie a été la victime du même gars qui a attaqué plusieurs femmes au cours des dernières semaines. Il doit être le genre de maniaque qui pense pouvoir agresser toutes les femmes d'une rue, sans se faire reconnaître.

— Il n'est quand même pas si idiot que ça! rétorque Ben.

— Tu serais étonné! Une fois, je suis allé en cueillir un qui se faisait bronzer sur son balcon, à quelques maisons d'où habitait une jeune fille violée par lui deux heures auparavant. Et il était surpris qu'on l'ait retrouvé!

— C'est épais rare, ça! s'exclame Stéphane.

— Oui. Bon, bien... je vous remercie, les jeunes. Si jamais vous avez d'autres informations, revenez me voir.

Stéphane et Ben se lèvent et se dirigent vers la sortie quand l'agent les rappelle:

— En passant, dit-il en s'adressant à Stéphane, conduis prudemment. L'asphalte vient vite quand on tombe en moto.

98

— Oui monsieur, promis! s'écrie Stéphane en s'éclipsant à l'extérieur.

Il descend les marches en courant tandis que Ben regarde sa montre en bougonnant:

— C'est super! J'vais encore avoir droit à un sermon.

— Quoi?

— Ah! C'est mon père. Je lui ai pas dit où j'allais...

— Pis après! Est-ce qu'il faut toujours que le petit pitou à papa lui demande la permission pour aller faire le tour du bloc?

— Si ta grande langue te sert seulement à dire des stupidités pareilles, tu ferais mieux de la couper. Pis à part de ça, y aurait moins de bave qui dégoutterait.

— Ouais! Ton père doit pas être drôle pour que ça te rende à pic de même, rien qu'à penser à lui!

— Drôle! Dans son temps, ça devait pas exister ce mot-là! soupire Ben. Ah! Pis, tu peux pas comprendre et j'ai pas le temps de t'expliquer.

Sans plus s'attarder, Ben traverse le boulevard de la Passerelle à grands pas. Stéphane qui a une soudaine bouffée de générosité, le rejoint avec sa moto.

— Embarque! Ça va aller plus vite qu'à pied.

Ben l'examine comme pour vérifier qu'il ne se moque pas de lui, puis accepte l'invitation.

Quand ils arrivent devant la quincaillerie, la porte est fermée à clé. Le père de Ben a terminé sa journée de travail et ne doit sûrement pas être de bonne humeur.

○

Assis sur le bord de son lit, Ben tend l'oreille. De l'autre côté de la porte de sa chambre, il entend un sourd bourdonnement émis par la télé et les encouragements de son père pour son équipe favorite. L'adolescent est habité par le dépit et l'amertume.

«Comment ça se fait que j'arrive jamais à rien lui faire comprendre? marmotte-t-il. Quand? Quand est-ce qu'il va arrêter de me traiter en bébé? C'est pas parce que je suis seulement en secondaire II que je les ai pas mes quinze ans! Pourquoi est-ce qu'il a fallu que je sois si poche au primaire et que je perde deux ans? Je pourrais être en IV et j'aurais presque fini...»

Découragé, il s'allonge sur le lit et fixe le plafond en soupirant. La punition injuste qu'il subit en ce moment, n'a rien pour lui faire voir la vie en rose. Interdiction de regarder les matchs des éliminatoires de hockey! Y a pas à dire, son père sait où ça fait mal!

Un cri de joie lui fait relever la tête: les Canadiens ont compté un but. Ben soupire. La partie semble intéressante, mais il n'y a pas droit, ni pour celle-là, ni pour les autres. Son père n'est pas le genre à revenir sur une décision.

«Que ça te serve de leçon! qu'il lui avait dit en sortant de table. T'as bien plus besoin d'étudier que de regarder le hockey. Ça va peut-être te calmer et te rendre plus responsable. Jamais vu un gars moins raisonnable que toi! Je me demande c'est quoi j'ai fait pour mériter un enfant pareil. Faut toujours l'avoir à l'œil, sans ça...»

Et la longue litanie s'était poursuivie. Tête baissée, Ben avait laissé passer l'orage sans dire un mot. Il espérait ainsi que son père se calmerait, mais... l'effet inverse s'était produit. Son silence n'avait réussi qu'à aviver la colère de son père.

Ben se tourne sur le côté et retient une grimace. C'est tout de même bizarre qu'il n'ait pas ressenti la douleur au moment de sa chute de la moto. Il est vrai qu'il était tellement énervé qu'il n'avait pas le temps de réaliser quoi que ce soit. Et même après au poste de police, il était encore sous le coup de l'émotion. Mais maintenant, à chaque respiration trop profonde, un élancement au bas de la cage thoracique lui rappelle qu'il a dû se froisser une ou deux côtes.

À quoi pensait-il, aussi, ce fou de Stéphane? «Une moto contre une voiture! On n'avait aucune chance. Encore heureux que le type se soit sauvé en m'entendant, sinon Stéphane aurait pas été

101

mieux qu'une pelure de patate dans un broyeur à ordure!»

Ben ne peut s'empêcher de sourire en songeant à l'autre adolescent. Il trouve qu'il n'a pas vraiment changé. Il se rappelle l'époque où tous les deux fréquentaient la petite école. Stéphane était toujours le premier à foncer. Il n'était pas le plus grand ni le plus fort des jeunes de son âge, mais il n'avait peur de personne et il s'était taillé une place enviée par plusieurs. Comment se fait-il que Ben ne l'ait pas reconnu tout de suite à la polyvalente? Il est vrai qu'il a vieilli depuis son départ pour Québec... Ben est surpris par la mémoire de Stéphane. C'est lui qui l'a reconnu le premier. Ben avait l'impression qu'un gars comme lui ne devait pas porter beaucoup d'attention à ceux qui l'entourent, pourtant... L'adolescent se dit qu'il se trompe peut-être sur le compte de Stéphane. Il s'intéresse peut-être plus aux gens qu'il n'en a l'air?

«Mais pour l'instant, il s'intéresse surtout à Sonia, soupire Ben. Ça veut dire que j'ai pas grand-chance. Ouais, toujours les mêmes qui ont tout!»

9

L'union fait le groupe

Ben a fait le tour de la cafétéria sans les trouver. Il tente sa chance au café étudiant, puis dans les petits locaux attenants réservés aux activités sociales des jeunes. Dans celui du fond, il découvre enfin ceux qu'il cherche.

— Avez-vous vu ça dans le journal? s'écrie-t-il sans même prendre le temps de saluer. Regarde, Sté...

Charles l'interrompt brusquement:

— Pas capable de voir que tu déranges? Pis, on t'a pas appelé. C'est pas parce que t'as fait le cow-boy, l'autre soir, avec Stéphane sur sa moto que t'es invité à rester. Va faire de l'air ailleurs!

Ben le toise quelques secondes avant de jeter un regard circulaire sur ceux qui sont rassemblés là. Il semble que tout le monde soit déjà au courant de leur petite chasse à l'homme. À part Charles, il y a Caroline, Stéphane et deux filles de secondaire III, Tina et Sophie. Déçu, Ben demande:

— Sonia est pas là?

— Non, elle non plus doit pas avoir envie de te supporter, répond Charles d'un ton supérieur.

Caroline qui sent que la chicane peut reprendre d'un instant à l'autre, dit vivement:

— De toute façon, depuis lundi, Sonia n'a plus envie de voir personne. Même moi, elle ne veut plus me parler.

— C'est pas une grosse perte, commente Charles.

— Oh! Recommence pas, s'énerve Caro, tu...

Stéphane qui n'a pas envie d'assister à une scène d'amoureux, essaie de changer la conversation:

— Pis, Ben, qu'est-ce que tu voulais me montrer?

— C'est dans *Le Messager*, le portrait-robot du gars qui a attaqué Sonia.

Comme attirés par un aimant, Caro et Stéphane s'approchent en même temps et se penchent sur la page ouverte que leur tend Ben. Bien en évidence, en haut à droite, un dessin montre un homme au visage quelconque, si ce n'était sa mâchoire inférieure trop grande. En les voyant ainsi occupés, Tina qui était silencieuse depuis l'arrivée de Ben, propose à sa copine Sophie d'aller voir ailleurs s'il n'y a rien de plus palpitant. Charles profite de l'occasion pour s'éclipser avec elles.

Ben est soulagé du départ du grand zouave. Il se sent plus à l'aise pour discuter avec Caro et Stéphane.

— C'est lui l'affreux qui a sauté sur Sonia, s'exclame Caro sans porter attention à la disparition de Charles. Y a une tête à ça!

— Tu trouves? fait Stéphane sceptique.

— Oui! As-tu vu à quoi il ressemble? Une vraie bouche de téteux!

Ben réprime un sourire et dit:

— Je ne sais pas si ça a un rapport, mais c'est vrai!

— Rapport ou pas, j'ai des doutes, murmure Stéphane.

Caro prend un ton de professeur et rétorque:

— Tu sauras, jeune homme, que les traits de notre caractère sont imprimés dans ceux de notre visage et dans les lignes de nos mains. Une observation attentive de la physionomie de ceux qui nous entourent nous aide à mieux les connaître.

Ben émet un petit sifflement et applaudit les dires de Caro pour lui démontrer une admiration un peu moqueuse. Stéphane renchérit en disant:

— Est-ce que la forme de mon gros orteil peut expliquer la passion que j'ai pour la crème glacée à la vanille et aux brisures de chocolat? Non, non, sérieusement, reprend-il très vite, ce n'est pas cela dont je doute, mais... je me demande si cet article-là dans le journal va vraiment aider à retrouver le maniaque!

Ben redevient sérieux et jongle à la question. Caroline rétorque aussitôt:

— Il n'y a pas d'autre façon de découvrir cet homme. Si quelqu'un l'a vu, il va le reconnaître et avertir la police.

— Malheureusement, il n'y a rien qui dit que la personne qui l'a vu, va lire le journal! Moi, les journaux, ça m'intéresse pas. Je l'aurais jamais su qu'il y avait le dessin si Ben ne venait pas de me le dire.

Caro voudrait bien trouver un argument contre cela, mais elle n'en connaît pas. Ben hoche la tête et affirme:

— C'est pour ça que c'est si difficile d'attraper un fou pareil. J'ai l'impression que ça fait un bout de temps que les policiers l'ont signalé, mais sans résultat. Rappelle-toi, Stéphane, l'agent nous a montré un dessin tout fait. Donc, ils le cherchent déjà depuis je ne sais quand. Pourtant ce type-là habite dans le faubourg, c'est certain.

106

— Qu'est-ce qui te fait dire ça? demande Caro.

— Pourquoi quelqu'un irait-il acheter un tuyau de métal à l'autre bout de la ville, quand il y a des quincailleries dans tous les secteurs de Montréal? Le policier l'a dit: les maniaques sont souvent tellement sûrs d'eux-mêmes qu'ils ne cherchent pas vraiment à se mettre à l'abri. Et puis, il y a autre chose, la voiture! S'il la cache dans le terrain vague à côté du croissant St-Rock, il faut qu'il marche jusque chez lui après. Alors, c'est qu'il reste dans le quartier. C'est là qu'il faut chercher.

— C'est logique, mais... on peut tout de même pas faire le tour des rues avec le portrait et sonner à toutes les portes, reprend Caro.

— Non, mais..., fait Stéphane en souriant, on peut afficher son visage à l'endroit où il y a le plus de gens qui passent.

— Où ça? demande Caro.

— Ici, à la polyvalente! Il y a des jeunes qui viennent de toutes les rues du faubourg. Sûrement quelqu'un va le reconnaître. Les étudiants lisent peut-être pas le journal, mais ils regardent tous à un moment ou à un autre, un des babillards de l'école.

— Ouaw! Super! Sauf que le dessin est pas si ressemblant que ça. Je veux dire, explique Ben, ça manque de naturel un portrait-robot.

— Je le sais bien, fait Stéphane en haussant les épaules, mais on n'a pas de photo.

— Non, mais on peut avoir mieux que ça. Pas vrai, Caroline?

La jeune fille sourit et sort de son sac d'école quelques feuilles blanches, un poussemine et une gomme à effacer. Stéphane s'étonne:

— Qu'est-ce que tu vas faire?

— Attends de voir le maître à l'œuvre, dit Ben en le poussant du coude.

Puis, sans donner plus d'explications à Stéphane, il tente de faire une description plus précise du maniaque. Le geste assuré, Caro dessine les traits un à un et, lentement, apparaît le visage de l'homme. Son croquis ressemble beaucoup à celui du portrait-robot, mais avec plus de nuance et de réalisme. Stéphane est muet d'étonnement et d'admiration. Il ignorait totalement les dons artistiques de Caroline. Il est vrai que, depuis qu'elle sort avec Charles, elle a peu de temps pour dessiner. Le zouave occupe tout ses loisirs, comme dirait Ben.

— Voilà! Est-ce que ça vous plaît? demande-t-elle quand elle a terminé.

— Fantastique! s'exclame Ben.

— Génial! souffle Stéphane. T'as des talents cachés.

Sans plus de cérémonie, il agrippe Caro par les épaules et l'embrasse sur les deux joues. Caroline se dégage d'un mouvement de bras et retombe sur sa chaise en rougissant. Ben qui voit son trouble, lui fait la morale:

— Si Charles voyait ça...

D'un geste de la main, Caro chasse son amoureux de la conversation et dit:

— Bon, c'est pas tout, il faut écrire un message qui explique que cet homme est recherché par la police pour agression et que si quelqu'un l'a vu, il se doit d'en informer les policiers.

— Il n'y a qu'à prendre le texte qui est déjà dans le journal, dit Stéphane.

D'un geste vif, il déchire le court article sous le portrait-robot du *Messager*. Puis, il relève la tête et annonce:

— Il ne reste plus qu'à en faire des photocopies et à les afficher partout dans l'école.

— Si Double-V veut bien nous donner la permission! objecte Ben.

Caro grimace et se secoue la main avec incertitude en pensant à elle.

Elle, c'est Mme Viviane Visvikis, alias «la Vis qui Visse» ou «Double-V», la directrice-adjointe de la polyvalente. C'est par elle qu'il faut passer pour toutes les permissions spéciales dans l'école. Sans son accord, impossible d'afficher quoi que ce soit. Ben recule un peu:

— Comptez pas sur moi pour la convaincre. Je ne suis pas dans ses bonnes grâces. Surtout après ce qui s'est passé lundi...

— O.K. J'ai compris, soupire Caro. Je vais y aller. Peut-être va-t-elle daigner m'écouter.

— On va tous y aller ensemble, propose Stéphane. Après tout, t'es pas toute seule dans cette histoire. C'est notre idée à nous trois. C'est à trois qu'on fait les démarches.

Ben oscille entre deux décisions, puis il hoche la tête. Il ne les laissera pas tomber, il en a vu d'autres. Caro est soulagée de ne pas à avoir à affronter seule «la terreur des profondeurs, tapie dans son antre».

Tout en ébauchant des plans d'attaque loufoques pour forcer la directrice-adjointe à accéder à leur demande, les trois jeunes se dirigent vers les locaux de la direction. Debout près du bureau de la secrétaire, une femme grande et forte donne ses instructions à une jeune femme déjà débordée de travail. Le visage autoritaire, les cheveux ébouriffés, la forte odeur de parfum et l'accent grec très accentué ne laissent aucun doute sur l'identité de ce mastodonte.

— Madame Visvikis, demande Caro d'une voix polie, est-ce qu'on pourrait vous parler un moment?

Visiblement dérangée par cette jeune intruse, la directrice-adjointe répond sèchement:

— Je n'ai pas le temps maintenant, revenez demain après trois heures.

Caro reste bouche bée. Elle ne s'attendait pas à se faire retourner aussi rapidement. Ben, qui aimerait bien que leur projet se réalise au plus vite, insiste:

— C'est que c'est urgent et très important...

La femme lui jette un regard dédaigneux et hautain avant de laisser tomber:

110

— Benoît Ladouceur, ce qui est important et urgent, c'est que tu te décides enfin à t'appliquer à l'école. J'ai eu une longue conversation avec ton père, hier. Il va falloir que tu te poses des priorités: étudier et devenir responsable! Je ne vois pas ce qui pourrait passer avant cela.

— La vie et la sécurité d'une de vos élèves, suggère Stéphane.

Mme Visvikis reste la bouche ouverte pour un instant, son sermon brusquement coupé par l'intervention de ce jeune inconnu. Elle se tourne vers lui et, avec ses yeux noirs, elle l'examine de la tête aux pieds avant de lui demander son nom.

— Stéphane Patenaude, je suis nouveau à l'école, mais ça c'est pas important. Attendez, je vais vous montrer quelque chose. Vite, Ben, ton journal. Regardez: cet homme a attaqué une fille de l'école...

— Est-ce que cela s'est produit sur le terrain de la polyvalente?

— Non, mais...

— Dans ce cas, je ne vois pas en quoi cela concerne la direction.

Trouvant qu'elle leur a suffisamment accordé de temps, elle tourne les talons et se prépare à entrer dans son bureau. C'est mal connaître Stéphane. Il n'a pas envie d'abandonner aussi vite. D'un pas assuré, il se place entre la directrice-adjointe et la porte, et réplique:

— Ce en quoi cela concerne la direction, c'est qu'en affichant le portrait de l'homme à l'école, on augmente les possibilités de le retrouver et de permettre à la police de mettre la main dessus.

— Pardon! s'écrie Mme Visvikis offusquée.

L'audace du jeune la surprend et la choque. Elle avait pourtant clairement signifié que l'entretien était terminé et le voilà qui poursuit la conversation, non, pire, qui la poursuit, elle, la directrice-adjointe!

— C'est simple à comprendre, reprend Stéphane en articulant lentement. Le maniaque se promène dans le faubourg St-Rock, il est même probable qu'il y habite. N'importe quel étudiant de la poly a une chance de le rencontrer un jour ou l'autre. Alors, en affichant son portrait, on aide à la prévention d'une autre agression et à l'arrestation de l'homme.

Les lèvres pincées, Mme Visvikis a patiemment écouté le discours de l'adolescent en attendant le moment propice pour le remettre à sa place avec les mesures correctrices qui s'imposent, quand elle a accroché à un mot: prévention! N'est-ce pas là, le grand thème de la commission scolaire pour cette année? La prévention de la violence, la prévention de l'abandon scolaire, la prévention... Aurait-elle, par hasard, devant elle, en chair et en os, un moyen d'attirer sur elle les regards bienveillants des commissaires? Ce qui signifierait une possibilité d'avancement, de promotion!

— Montrez-moi le portrait, ordonne-t-elle.

Le croquis dans une main et l'article dans l'autre, elle les examine rapidement. Un faible sourire se dessine sur ses lèvres. D'un geste, elle invite les trois jeunes à la suivre dans son bureau. Stéphane fait un clin d'œil malicieux à ses deux comparses. L'affaire est dans le sac!

○

Cet après-midi, Sonia a un choc. Sagement installée à son pupitre pour un examen formatif en français, elle ne s'attendait pas à cela. Il est rare, très rare que l'interphone serve à diffuser un message pour l'ensemble de la polyvalente. Alors quand ce message parle de Sonia, c'est pour elle le comble de l'incompréhension!

Sans autre avertissement qu'un grésillement qui irrite les oreilles, la voix de la directrice-adjointe se fait entendre partout dans l'école:

— Attention à tous! Déposez vos crayons et cessez pour quelques instants votre travail. J'ai une communication de la plus grande importance à vous faire.

Dans la classe, il y a eu des rires et de murmures qui ont caché le message jusqu'à ce que les bavards obéissent aux «chut!» impératifs des autres.

— ...événements malheureux depuis quelques temps. En effet, il semble qu'il y ait dans notre quartier, un inconnu qui prend un malsain plaisir à agresser les femmes sans défense. Ce dangereux homme se promène dans nos rues à bord d'une voiture rouge de marque Firebird dans l'espoir d'y rencontrer une victime. Ce fou s'attaque à n'importe qui, même l'une de nos jeunes élèves de secondaire II a eu à subir ce triste sort...

Sonia en a le souffle coupé. Il est évident que c'est d'elle que l'on parle. Elle sent ses joues devenir rouges et la sueur qui mouille la racine de ses cheveux. Tout le monde sait maintenant ce qui lui est arrivé! Elle tremble à l'idée que la Double-V va prononcer son nom dans l'horrible boîte à son accrochée au mur.

— ...ce malheureux incident s'est produit samedi dernier au sortir de la danse quand cette jeune fille retournait chez elle...

Les mains de Sonia sont moites et tremblantes. Son cœur bat tellement fort qu'elle a de la difficulté à comprendre les paroles qui suivent.

— ...Malgré le chagrin immense qui nous est causé par cette nouvelle, les membres de la direction se réjouissent de la solidarité découverte parmi nos jeunes. Certains d'entre vous, émus par cette dure épreuve, ont décidé de mettre à contribution leur talent pour venir en aide à cette victime. Nous sommes fiers de vous faire savoir qu'un portrait de l'agresseur a été réalisé par une étudiante de secondaire II.

114

Le souffle coupé, Sonia se tourne d'un bloc vers Caroline mais elle a trop de larmes dans les yeux pour bien voir l'expression de son amie. De son ex-amie qui l'a trahie! Sonia se sent ridiculisée devant tous.

— ...comme il est probable que l'homme habite dans le faubourg, nous demandons à chacun d'entre vous de porter une attention particulière au dessin qui est affiché sur tous les babillards. Si vous croyez le reconnaître, veuillez nous en aviser ou alerter la police. Merci pour votre attention et bonne fin de journée!

Sonia se demande si la directrice-adjointe ne se moque pas d'elle. Comment pourrait-elle avoir une bonne fin de journée après avoir été matraquée de la sorte? La jeune fille refoule ses larmes et cligne des yeux en se penchant de nouveau sur son examen. Au prochain cours, elle ira s'asseoir dans le coin le plus reculé. Personne ne pourra l'examiner comme un objet d'attraction.

À l'autre bout de la classe, Caroline baisse la tête. Elle se sent horriblement embarrassée. Elle se doute bien de tout le mal que cette intervention de la Vis qui Visse a dû produire sur son amie. Mais comment faire autrement? En entrant dans le bureau de la directrice-adjointe, ils se sont embarqués dans un train sur lequel les trois jeunes n'avaient aucun contrôle. La grosse femme s'est emparée de leur idée et l'a transformée en spectacle pour épater la galerie. Une toute petite annonce expliquant rapidement aux étudiants qu'il y avait un homme à identifier aurait suffi.

Les choses vont déjà assez mal entre elle et Sonia... pas besoin d'en rajouter!

À la fin du dernier cours, Sonia se précipite hors de la classe et fait un effort pour ne regarder sur aucun babillard. C'est presque en courant qu'elle va à son casier pour y prendre ses affaires. Avec des gestes nerveux, elle enfile son manteau et se hâte vers la sortie. Elle évite ainsi de justesse une confrontation entre elle et Ben.

Sonia ne veut parler à personne, personne! Les yeux fixés sur le trottoir, elle fait quelques pas quand un groupe, massé devant elle, l'arrête.

— Je te félicite, la petite! T'as pas mal de cran!

Sonia jette un regard surpris à la personne qui l'apostrophe ainsi. Ça lui prend quelques secondes avant de reconnaître les grandes filles de secondaire V qui, l'autre jour, l'ont aidée à camoufler ses marques.

— Moi, je..., proteste Sonia.

— Fallait le faire! s'exclame la jeune chanteuse. Passer une annonce comme celle-là dans toute l'école! T'as des chances que ça donne des résultats.

— Ah! se contente de faire Sonia.

Les étudiantes l'entourent et veulent lui démontrer leur support moral. Elles parlent toutes à la fois sans lui laisser le temps de répondre à leurs remarques.

116

— C'est vrai qu'il faut cesser de se cacher comme des coupables à chaque fois qu'une horreur pareille nous arrive.

— Ça va être une bonne leçon pour les gars. Ils vont peut-être réaliser que la moitié de ceux qui vont à la poly, c'est-à-dire les filles, en ont assez d'avoir peur...

— Pis les filles aussi, on est capables de se tenir contre un ennemi commun.

— Ton maniaque, il ne fera pas long feu. On va pousser dans le dos de tout le monde pour chercher à l'identifier.

— Pas question de laisser tomber avant de l'avoir trouvé!

— En attendant, aimerais-tu ça si on te raccompagnait? T'as peut-être peur de te promener toute seule?

Sonia reprend ses esprits et répond vivement:

— Non, merci. Je suis capable. J'ai besoin de rien.

La fille qui lui avait posé cette question, sourit et lui donne une tape sur l'épaule en ajoutant:

— T'as beaucoup de courage, la grande! Bonne chance!

Sonia les salue d'un faible sourire et les regarde traverser la rue. La tête pleine de questions et d'incertitudes, elle poursuit son chemin.

10

Sors de ta cachette!

Le lendemain matin, Caro attend Sonia de pied ferme. Il faut qu'elle ait avec elle une bonne explication. Quatre jours sans se parler, c'est beaucoup trop. C'est pour cela que Caroline a fait un détour pour s'installer au coin des rues de l'Alliance et Wodehouse.

Piétinant sur place, elle guette l'arrivée de son amie. Quand, enfin, elle l'aperçoit qui approche, elle pousse un soupir de soulagement.

— Salut! lui dit-elle.

Sonia détourne la tête pour ne pas la regarder et allonge le pas. Caro lui colle aux talons.

— Arrête de courir comme ça! s'écrie Caro. Faut que je te parle.

— Rien à dire, fait sèchement Sonia.

— Mais moi, je veux te parler!

Sonia se tourne brusquement et grogne:

— Tu trouves pas que t'en as assez dit. Toute l'école est au courant maintenant. Pas moyen d'avoir de secret dans la vie!

— Personne sait qu'il s'agit de toi. La Double-V t'a pas nommée.

— Encore heureux! s'exclame Sonia en colère. Tant qu'à y être, elle aurait pu tout aussi bien donner mon adresse et mon numéro de téléphone avec un «Avis aux intéressés»!

Caro soupire:

— Je le sais qu'elle a exagéré, mais on pensait pas, ni moi, ni Ben, ni Stéphane, que ça tournerait comme ça.

— Oh! Parce que ces deux-là sont mêlés à ton histoire. On aura tout vu.

Avec un geste d'impatience, Sonia quitte Caro. Celle-ci la suit de loin, car quelque chose la retient de l'aborder de nouveau. Elle a l'impression que ça ne servirait à rien.

Sonia entre en coup de vent dans le vestiaire. Sans un sourire ni un salut pour qui que ce soit, elle s'affaire dans sa case. En se retournant, elle voit Ben et Stéphane qui arrivent près d'elle. Comme il n'y a pas d'autre chemin pour sortir, elle ne peut les éviter.

— Écoute Sonia, commence Stéphane, on aurait deux mots à te dire. À propos d'hier...

— Moi, j'en ai rien qu'un mot à vous dire, réplique-t-elle avec hargne. Plus débiles que ça, tu meurs!

Elle fonce vers la sortie en bousculant tout devant elle. Les deux garçons qui se sont rangés pour la laisser passer, se lancent un regard peiné et coupable.

— On n'aurait peut-être pas dû, murmure Ben.

— T'avais peut-être une meilleure idée? explose Stéphane. On était tous d'accord, hier, pour l'aider. C'est pas de notre faute si elle n'en veut pas de notre aide.

— C'est parce qu'elle est tellement malheureuse...

— Je le sais bien, dit Stéphane sur un ton plus calme.

Avec un haussement d'épaules qui signifie qu'il n'y peut rien, Stéphane se dirige vers sa classe. Ben demeure songeur devant sa case. Sonia est triste et en colère. En colère contre tout le monde! Même contre Stéphane! Est-ce une consolation pour Ben?

○

Caro a essayé par deux autres fois de faire la paix avec Sonia, mais sans y parvenir. Il faut pourtant qu'elle lui fasse comprendre le comment et le pourquoi de l'intervention de la directrice-adjointe. Sonia ne peut pas rester éternellement enfermée dans sa peine. Il y a sûrement quelqu'un avec qui elle parle; elle boude à l'école, mais pas à la maison.

C'est pour cette raison que Caroline se rend à la pharmacie. En poussant la porte vitrée, elle reconnaît l'employée à l'uniforme blanc qui compte de la monnaie derrière le comptoir. C'est la mère de Sonia.

— Bonjour, madame Pelletier.

— Tiens! Bonjour Caroline. Ça fait longtemps que tu n'es pas venue à la maison.

— Oui, et comme les choses sont parties, j'ai l'impression que ça va prendre une éternité avant que je puisse remettre les pieds chez vous.

Sylvie Pelletier fronce les sourcils et fixe la jeune fille quelques secondes avant de dire:

— C'est vrai que ma fille traverse une période difficile ces jours-ci, mais je ne pense pas que ça devrait t'éloigner d'elle.

Mal à l'aise, Caroline tente d'expliquer:

— C'est que... elle est fâchée contre nous. En voulant l'aider, on a fait pire.

— Comment...

Sylvie se tait en voyant un client qui s'avance vers son comptoir. Elle fait un petit geste à Caro pour lui signifier d'attendre un moment.

122

Après quelques minutes, le client servi et parti, elle entraîne la jeune fille à l'arrière de la boutique et demande à une autre employée de s'occuper de la caisse pour quelques minutes.

Enfin seules dans l'allée des shampoings, elle interroge Caroline sur ce qui s'est passé. Visiblement embarrassée, l'adolescente raconte les événements d'hier, elle termine avec cette excuse:

— C'était pour bien faire! On aimerait ça que le maniaque soit arrêté. Sonia se sentirait plus en sécurité.

— Je comprends. C'est donc à cause de cette histoire que ma fille était tellement en colère, hier soir. Si tu es venue me dire tout ça, c'est parce que tu voudrais que je la calme et que je lui explique...

— Oui, dit Caroline soulagée, vous seriez bien fine d'arranger cette affaire-là. On l'aime Sonia et on lui a jamais voulu de mal.

— Je sais, je sais, la réconforte Sylvie. Je vais faire de mon mieux. Mais je pense qu'il faut aussi compter sur le temps. Essayez de ne pas la bousculer et tout devrait rentrer dans l'ordre.

Encouragée par ces bonnes paroles, Caro quitte la pharmacie. Sylvie reprend sa place derrière le comptoir tout en songeant à la manière d'amadouer sa jeune tigresse.

À six heures et quart, lorsqu'elle entre chez elle, Sylvie trouve Jean-Marc en pleine préparation du souper. Son fils l'interpelle sans façon:

— Reste plus beaucoup de sauce à spaghetti. J'espère en avoir assez pour ce soir.

— Ça devrait aller. Tu es bien aimable de faire chauffer les nouilles avant mon arrivée.

— J'ai pas le choix, j'ai faim!

— Plus vorace que toi, ça doit être rare. C'est pas comme ta sœur, elle ne mange plus depuis quelque temps. À propos, où elle est, Sonia?

— Dans sa chambre, chuchote Jean-Marc. Et elle n'est pas de bonne humeur! Attention de ne pas te faire mordre, si tu vas la voir.

Sylvie secoue la tête. Il ne sera probablement pas si simple de faire entendre raison à sa fille. Elle frappe doucement à la porte de la chambre de Sonia.

— Quoi? fait une voix impatiente.

— Je peux entrer quelques minutes? demande Sylvie.

— Bien sûr! répond Sonia en fermant un de ses cahiers d'un geste brusque.

Sylvie va s'asseoir sur le lit de sa fille, tandis que celle-ci, installée à son bureau, se retourne pour lui faire face. Sylvie hésite, elle cherche encore les mots pour amorcer cet échange. N'ayant rien trouvé de plus subtil, elle se contente d'ouvrir son cœur:

— Sonia, ma grande, je t'aime!

Ce n'est pas la première fois que la jeune fille reçoit un tel aveu. Toute petite, ça la flattait et elle se sentait au septième ciel à chaque fois.

Puis, en vieillissant, elle était gênée de montrer qu'elle appréciait cette marque d'affection, alors, elle s'est inventée une phrase pour désamorcer la situation et cacher son embarras. Sans réfléchir, elle la lance à sa mère:

— Je te comprends, moi aussi, je m'aime!

Un sourire gêné et moqueur glisse sur les lèvres de Sonia. Du coin de l'œil, elle voit que sa mère en fait autant. Mue par un ressort, l'adolescente quitte sa chaise et se blottit contre Sylvie qui caresse les cheveux de sa fille.

— J'aimerais savoir quoi faire pour t'aider...

— Oh! Pas toi aussi! soupire Sonia en se dégageant. Tout le monde veut m'aider. Vous êtes-vous donné le mot? Lâchez-moi un peu! Même les gens que je connais pas veulent mon bien... J'ai l'impression que je deviens la fille la plus célèbre de l'école: Sonia, l'agressée! Votez pour la fille la plus «in» du faubourg!

— Tu n'exagères pas un peu?

— Non, tu ne les as pas vus, toi! Y a toujours une fille pour me féliciter de mon courage, une autre pour me dire: «C'est beau, continue». Continue? Continuer quoi? Je fais rien! Pis, j'en ai pas du courage. J'ai peur! Je suis morte de peur! J'ai peur... j'ai peur...

Des sanglots pleins la voix, elle s'effondre sur son oreiller en pleurant et en répétant qu'elle a peur. Sylvie est bouleversée. Elle se serre contre sa fille et dit tout ce qui lui passe par la tête. À bout d'arguments, elle se contente de répéter:

— Je te comprends, je te comprends...

Le visage enfoui dans ses couvertures, Sonia s'écrie avec rage:

— Non, personne peut comprendre s'il n'est pas passé par là!

Sylvie prend un ton offusqué:

— T'imagines-tu que tu es la première fille à qui ça arrive?

Puis, réalisant trop tard ce qu'elle vient de dire, elle se mord les lèvres. Sonia sanglote une ou deux fois et se retourne vivement:

— Qu'est-ce que tu veux dire?

Sylvie ouvre la bouche pour dire «rien du tout», mais se ravise. À quoi bon se taire? Sa petite fille n'est plus une petite fille...

— Sonia, c'est triste à dire, mais depuis que le monde est monde, il existe une catégorie d'hommes qui prennent plaisir à attaquer les femmes. Même quand j'étais jeune, on n'était pas à l'abri...

— Comment..., fait Sonia les yeux grands ouverts par ce qu'elle croit découvrir. Tu... toi aussi?

Sylvie hésite encore, mais si cela peut soulager sa fille, elle veut bien parler.

— Oui, et j'avoue que j'ai été chanceuse comme toi. Ç'aurait pu être pire. J'habitais encore à la campagne dans ce temps-là. Pour se rendre au magasin général, j'empruntais toujours un petit raccourci qui débouchait sur la grande route près du cimetière. C'était l'automne, il

126

faisait froid et noir de bonne heure. Je me rappelle avoir vu la camionnette arriver à toute vitesse. Ses lumières m'aveuglaient, mais ça ne me dérangeait pas vraiment. C'est quand elle a freiné brusquement que je me suis sentie bizarre, comme dans un rêve. Ensuite, ça a tourné au cauchemar. Je courais, je ne savais pas où me cacher, et ils étaient juste derrière. Deux hommes. Je les entendais se rapprocher, m'appeler. Ils étaient là, de plus en plus près, jusqu'à ce qu'une main tire sur ma veste. Heureusement, je ne l'avais pas attachée. En tirant, elle a glissé de mes bras et la peur m'a fait courir plus vite. Je suis entrée dans le cimetière et je me suis glissée derrière une pierre tombale. Il faisait très sombre et je crois qu'ils n'avaient pas tellement envie de me chercher à cet endroit-là. Je les ai entendus repartir en camionnette et ça m'a pris longtemps avant de pouvoir me relever... C'est tout!

Sylvie qui, pendant qu'elle racontait son histoire, regardait Sonia, lève la tête et voit son fils debout dans l'embrasure de la porte. Bouche bée, yeux agrandis par la stupéfaction, il fixe sa mère sans réagir, puis, il s'agite et prend place sur la chaise de sa sœur.

— C'est écœurant, murmure-t-il enfin avec dégoût et colère.

— Oui, c'est écœurant! s'écrie Sonia. Pis, t'appelles ça être chanceuse.

— Bien sûr, je m'en suis tirée avec aucun dégât important. Tout ce que j'ai perdu ce soir-là, c'est ma folle et insouciante confiance dans le monde. J'ai enfin réalisé que...

— ...les hommes sont des sales maniaques! l'interrompt Sonia.

— Wo! Capote pas, objecte Jean-Marc. Je suis un homme, moi aussi, au cas où tu ne l'aurais pas remarqué.

— Sonia, reprend sa mère, penses-tu vraiment que ton père était un sale maniaque?

— Non... non..., bafouille la jeune fille. Mais... mais, je comprends pas que t'as pu aimer un gars après ça! T'avais pas peur?

— C'est vrai que j'ai eu peur pendant un certain temps, même encore aujourd'hui je me méfie un peu. Ce qui m'a aidé, c'est que j'avais trois grands frères et un père charmants, trop protecteurs sur les bords, mais j'en avais besoin. Ça m'a fait comprendre que les deux gars du camion étaient des exceptions. Sonia, ce n'est pas parce que tu rencontres un voleur que tout le monde l'est!

— D'accord, mais comment on fait pour les reconnaître?

— J'admets que ce n'est pas si simple. Ce n'est pas écrit dans le front. Mais, en évitant les situations dangereuses comme être seule dehors le soir, on met les chances de notre côté. Et surtout, il ne faut pas avoir honte. Tu n'es pas coupable, je ne suis pas coupable. Les seuls coupables, ce sont ceux qui agressent.

Sonia soupire:

— C'est plus facile à dire qu'à faire. Quand j'arrive à l'école, j'ai l'impression que tous les yeux sont braqués sur moi. Surtout depuis que la grosse épaisse de Double V est allée tout raconter au micro. Tout le monde l'a entendue.

— Comment ça? s'exclame son frère.

Sonia s'assoit en indien dans son lit et relate la façon dont la directrice-adjointe a procédé pour pousser les jeunes à bien examiner le portrait du maniaque sur le babillard.

— Il y a seulement une chose que je ne comprends pas. Où est-ce qu'elle a pris ce dessin. Moi, je ne lui ai pas vu le visage! Alors, qui l'a vu?

— Deux de tes amis: Ben et Stéphane, explique Sylvie. J'ai rencontré Caroline aujourd'hui et comme je m'étonnais de ne plus la voir ici, elle a fini par me raconter des tas de choses. Entre autres, que les deux garçons ont rencontré un homme avec une Firebird rouge et une morsure à la main, qui a acheté un tuyau de métal.

— Pas vrai! s'écrie Jean-Marc. Le maniaque a envie de recommencer, si je comprends bien.

— C'est probable. C'est pour cela, ma grande, qu'il est si important que l'homme soit identifié. La seule chance de le faire, c'est en l'affichant à la vue du plus grand nombre de gens. La polyvalente, ce n'est pas un mauvais endroit.

Jean-Marc se lève et marche de long en large en murmurant:

129

— J'espère qu'on va l'arrêter au plus vite et empêcher qu'une autre fille soit attaquée!

Sonia demeure songeuse. Elle n'avait jamais pensé à cet aspect de la situation. C'est vrai qu'elle a eu de la chance. En sera-t-il de même pour la prochaine victime? Elle se sent égoïste de s'être centrée sur elle-même à ce point et d'avoir consciemment ignoré les autres. Mais c'est difficile de se relever quand on tombe de si haut.

— Moi aussi, je l'espère, chuchote-t-elle.

11

Toujours amies

En se pointant le nez à l'école, le lundi matin, Sonia se promet de faire un effort. Elle marche tranquillement et essaie d'afficher un air calme et serein. Elle sourit à ceux et celles qui la saluent et s'arrête même devant un babillard pour examiner le portrait du maniaque. C'est la première fois qu'elle y accorde de l'attention.

La semaine dernière, elle a tout fait pour fuir cette image qui lui rappelait un atroce souvenir. Le souvenir est toujours là, mais avec moins de vigueur et de panique. Ce qu'il peut avoir l'air ordinaire, cet homme, banal et insignifiant. «Un vrai con, se dit-elle avec une moue dédaigneuse, et pas terrible pour cinq cents! Quand je pense que c'est «ça» qui veut faire peur aux filles. C'est trop facile: tu accroches n'importe qui, par surprise, dans le noir, avec un tuyau de métal pour lui défoncer le crâne si elle se débat.»

Un frisson lui parcourt l'échine. Elle doit cesser de penser à cela, sinon la peur va la reprendre. Elle secoue la tête et se hâte vers les casiers. Elle est soulagée d'y trouver Caroline. Avant que celle-ci l'ait aperçue, elle la salue. Caro l'observe avec appréhension.

— Ça va mieux, ajoute Sonia.

Caro lui fait son plus beau sourire.

— Tant mieux! Je commençais à m'ennuyer de toi. J'ai tellement de choses à te raconter que j'avais peur que mon cerveau éclate comme un ballon trop gonflé avant de pouvoir le faire. Viens vite, on va se trouver un coin tranquille avant les cours.

Elle entraîne rapidement sa copine dans un des petits locaux près du café étudiant. Chemin faisant, elle commence déjà à lui dire toutes les dernières nouvelles qui lui passent par la tête. Sonia est étourdie par ce bavardage, mais heureuse de l'être. L'affection chaleureuse de Caro lui avait manqué. Il y a tellement longtemps qu'elles se connaissent.

Elle l'écoute en souriant pendant un bon moment, puis, lorsque Caro reprend son souffle, elle demande:

— J'aimerais bien savoir ce qui s'est passé avec Ben, Stéphane et le fou à la Firebird?

Comme si Caroline n'attendait que cela, elle sourit en s'exclamant:

— Ça, c'est toute une aventure!

Puis, elle se lance dans une longue explication où elle raconte l'heureux hasard qui a mis Ben en face du maniaque. La façon dont Stéphane est intervenu grâce à sa moto, la course folle après la Firebird. Sonia s'écrie:

— Stéphane a essayé d'arrêter la voiture avec sa moto! Mais il est malade!

— Je le trouve plutôt brave, fait Caro en battant rapidement des paupières.

— Dans le genre «pété flyé», peut-être! Pis, à part ça, comment Ben a pu accepter d'embarquer sur la moto de Stéphane? Je croyais qu'ils étaient à couteaux tirés!

— Ils se connaissent depuis bien plus longtemps que tu le penses. Il paraît que tout petits, ils jouaient ensemble. Stéphane m'a dit qu'il leur est même arrivé de s'amuser une ou deux fois sur les rails de chemin de fer, dans le champ de l'autre côté, à cette époque-là. Ça a tout l'air qu'ils ont fait une couple de mauvais coups à eux deux quand ils étaient jeunes.

— Si je comprends bien, ils sont redevenus amis depuis la semaine dernière.

— Oui.

— Charles doit pas être trop content.

Caroline hausse les épaules et poursuit son histoire. Elle explique en long et en large la visite des garçons aux policiers et la découverte de Ben, deux jours plus tard dans le journal. Puis, elle aborde un point plus délicat: la brillante idée d'afficher le portrait de l'homme dans l'école. Elle essaie très vite de se disculper.

— On n'a jamais imaginé que Double-V ferait ça, mais on n'avait pas le choix. Si on voulait placer mon dessin sur les babillards, il nous fallait sa permission. Si tu avais vu ça dans son bureau. Elle a sauté sur notre idée comme une affamée sur une beurrée de caviar! C'est devenu «son» grand projet pour sauver les jeunes filles de la polyvalente des griffes de cet horrible satyre...

Sonia ne peut s'empêcher de rire devant l'imitation que Caro fait de la directrice-adjointe. Elle comprend bien que, devant une telle femme, les jeunes ne pesaient pas pour grand-chose. Elle leur a volé leur bonne action.

— Et c'est pas tout, elle a même téléphoné à la police pour vérifier, évidemment, ce qu'on lui expliquait et pour demander la permission d'afficher le dessin à l'école. Les policiers ont dû accepter «son» excellente idée, parce qu'elle était tout sourire en raccrochant. Et là, elle nous a mis à la porte en nous assurant qu'elle s'occupait de tout. Si tu avais vu la tête de Stéphane, il avait l'air d'un chiot à qui on enlève un os. Il ne voulait pas sortir du bureau et disait n'importe quoi pour la convaincre d'accepter son aide. Finalement, il n'a pas eu le choix. C'est elle qui représente l'autorité et c'est elle qui a gagné.

— Il était vraiment déçu?

— Oui, surtout après le message à l'interphone. C'était abominable la manière dont elle a fait l'annonce. Un vrai show de radio! J'ai vu Stéphane en fin de semaine, il était pas mal débobiné. Ben aussi. Ils n'arrêtent pas de dire que la Vis qui Visse a serré un peu trop fort, cette fois-ci. Elle aurait pu essayer de penser à l'effet que ça aurait sur toi.

— C'est pas grave, je suis capable d'en prendre. Maintenant, c'est fini.

— Fini, fini?

— Oui, j'ai décidé de faire une croix sur cet épisode. Non, mieux que ça, j'ai déchiré les pages et je les ai fait brûler. Qu'est-ce que j'aurais de plus à traîner cette sale affaire avec moi?

— Est-ce que tu veux dire que maintenant, tu vas recommencer à nous fréquenter? À revenir dîner avec nous?

— Oui, bien sûr. Je n'ai pas le choix, je m'ennuie toute seule.

Caro sourit de toutes se dents. Elle flotte littéralement de joie, puis elle revient à la réalité.

— On va être en retard, regarde l'heure, s'écrie-t-elle. Vite, dépêche-toi.

Les deux jeunes amies se précipitent hors du local en riant.

12

La chaise musicale

Comme à son habitude, Sonia marche avec les yeux plongés dans un livre. Elle sait bien que Caroline l'attend à la cafétéria pour manger ensemble, mais c'est plus fort qu'elle. Sonia ne peut résister aux charmes et à l'appel de la littérature. Elle a fait un petit détour par la bibliothèque. Maintenant qu'elle a choisi un roman, elle s'approche du comptoir pour le faire inscrire.

Elle lève rapidement les yeux pour mieux se diriger, retourne au livre et les lève de nouveau. Ce qu'elle aperçoit entre elle et le comptoir de la préposée aux emprunts la fige sur place. Puis, à pas lents, elle recule pour se dissimuler derrière une étagère. Entre les bouquins, elle épie. Charles, oui, c'est bien lui. Comment pourrait-elle ne pas le reconnaître?

Le grand zouave a un bras autour des épaules d'une grande fille rousse, belle de surcroît! Il ressemble à un gros minet minaudant devant une chatte en chaleur. Sonia en a le souffle coupé. Pauvre Caroline, quand elle se rendra compte du vilain tour que lui joue son ami de cœur, elle va en faire une maladie.

Toujours à l'abri des regards, Sonia observe les deux jeunes. Charles attire contre lui la fille rousse et l'embrasse dans le cou. Il lui caresse le bras et laisse traîner son pouce d'une manière que Sonia a déjà expérimentée. «Tous pareils, ils ne pensent qu'à ça! s'indigne-t-elle. Après, il va lui laver le fond du gorgoton...»

Charles embrasse effectivement la fille d'une façon plutôt prononcée qui ne laisse aucun doute dans l'esprit de Sonia sur les intentions de l'adolescent. «Y est pas gêné, lui, faire ça ici en pleine lumière, en face de la bibliothécaire. À sa place, je les mettrais dehors!»

Sonia les entend rire et chuchoter des paroles confuses. Elle se dit qu'il doit encore raconter des niaiseries et des platitudes. Elle a l'impression qu'il en met trop, comme s'il affichait un trophée de chasse. Sonia attend que la lourde porte se referme derrière eux pour quitter sa cachette.

Quelques minutes plus tard, la jeune fille entre dans la cafétéria. Elle a le cœur chaviré quand elle aperçoit Caroline qui lui fait un petit signe de la main. Celle-ci l'invite à la rejoindre à sa table.

— Il est temps que tu arrives! Je commençais à me demander si tu n'avais pas changé d'idée.

— Non, non, réplique vivement Sonia. J'ai... je suis allée me chercher un livre, c'est tout.

Sonia est déchirée entre deux choix: si elle prévient sa copine de ce qu'elle vient de découvrir, elle va lui faire un grand chagrin; si, au contraire, elle se tait, elle se sentira hypocrite et complice du sale coup que lui mijote Charles. D'une manière ou d'une autre, Caroline aura un choc, alors aussi bien lui dire. Mais comment?

Pour gagner du temps, Sonia déballe lentement son lunch: deux petits pains à la salade de poulet (son sandwich préféré), des bâtonnets de fromage, trois fleurs de brocoli et une liqueur (diète). Elle mâchonne ses légumes, grignote un pain et sirote sa boisson avant de se décider enfin. C'est au moment où elle ouvre finalement la bouche pour tout avouer qu'il entre dans la cafétéria. À ses côtés, la belle rousse se dandine avec un peu de provocation.

Sonia en reste muette d'étonnement. Le salaud ne se cache même pas! Les yeux de l'adolescente voyagent rapidement et à plusieurs reprises de Caroline à Charles et vive versa.

Quand Caro lui demande à quoi elle joue, Sonia baisse brusquement son regard sur son dîner, rougit et bafouille, au risque de s'étouffer avec sa salive qu'elle déglutit avec difficulté:

— Rien... rien... je...

Caroline se retourne et voit son chum avec une autre fille. Sonia s'attend au pire, sa copine va sûrement faire une crise de larmes. Au contraire, Caro se replace droite et, avec un air dédaigneux, laisse tomber:

— Ah! C'est rien que ça!

Puis elle prend une bonne bouchée dans un sandwich aux œufs. Si la mâchoire de Sonia n'avait pas été attachée à son crâne, il lui aurait fallu la ramasser par terre... Ébahie et bouche bée, elle fixe son amie avec incompréhension. Où est donc passée la Caroline amoureuse folle de Charles? Celle qui était prête à tout pour ses beaux yeux?

Caroline pouffe de rire devant l'air ahuri de Sonia. Elle lui explique finalement:

— C'est vrai, tu n'es pas au courant. J'ai cassé avec Charles.

— *Tu* as cassé avec Charles!

— Oui, j'ai décidé que j'en avais assez de lui.

Sonia va de surprise en surprise. Elle s'attendait à tout sauf à ça. Elle s'écrie:

— Pourquoi? Tu avais l'air de bien t'entendre avec lui.

Caroline avale une bouchée avant de répondre:

— L'air peut-être mais pas la chanson! Il commençait à devenir... comment dire... trop entreprenant...

— Trop...?

— Bien oui, bécoter ne lui suffisait plus. Il en voulait davantage de mon petit moi-même... Ça m'intéressait pas. Et puis... des fois je le trouvais fatigant. Un peu trop parfait, si tu vois ce que je veux dire!

Sonia l'a depuis longtemps catalogué comme le «plus meilleur» de l'école et n'a jamais pu le supporter à cause de cela. Ce qui l'étonne tout de même, c'est la fausse idée qu'elle se faisait des rapports de son amie avec Charles. Elle qui s'imaginait qu'ils avaient déjà tout accompli ensemble... Elle s'en excuse mentalement à Caroline et se promet bien que plus jamais, elle ne la jugera aussi vite.

— T'as l'air de prendre ça pas trop mal, dit Sonia en souriant doucement. Pendant un moment, j'ai eu peur que ça t'affecte beaucoup. Te retrouver toute seule, tu n'es pas tellement habituée à cela.

— Oh! Mais je ne suis pas toute seule, réplique vivement Caroline. Maintenant je sors avec...

Elle s'arrête au beau milieu de sa phrase, visiblement mal à l'aise. Dans son enthousiasme, elle en oubliait les sentiments de son amie. Il faudra bien qu'elle le sache tôt ou tard, mais

Caro se doit de bien choisir les mots qui ne blesseront pas.

— Avec qui? questionne Sonia avide de connaître la fin de l'histoire.

— Écoute, il faut que tu comprennes qu'un garçon peut pas toujours attendre après une fille. Hein?

— Je m'en doute, fait Sonia en haussant les épaules. Puis après?

— Alors... comme tu donnais aucun signe... tu n'avais pas l'air intéressé, quoi.....

Sonia commence à se douter de la raison de l'hésitation de Caroline, mais, étrangement, elle ne met aucun nom sur le nouvel amoureux. Sans dire un mot, elle attend que sa copine se décide enfin à le lâcher le morceau.

— Ça fait longtemps qu'il attend que tu dises un mot gentil, mais tu le fais jamais, il ne pouvait pas savoir quel genre d'affection tu peux avoir pour lui. Surtout que, depuis une semaine, tu parles avec personne. Lui, il regarde ailleurs et moi, comme j'ai laissé tomber Charles... Alors... Je le trouve gentil! ajoute-t-elle pour tout expliquer.

Une petite lumière s'allume dans le cerveau de Sonia. Est-ce que par hasard, Caroline aurait enfin découvert les qualités de...

— C'est lui, chuchote Caro en pointant du doigt la porte d'entrée de la cafétéria.

Sonia regarde en cette direction et le voit debout dans l'embrasure: Ben! Elle est trop étonnée et bouleversée pour remarquer Stéphane à deux pas de lui. C'est pourtant ensemble qu'ils approchent des filles. Sonia bouffe son repas en accéléré pour cacher sa déception.

Une voix intérieure lui susurre que Ben et Caroline ensemble, ça n'a aucun sens. Comment Caroline, l'irréfléchie, pourrait-elle apprécier la nature timide et généreuse de Ben? Pauvre Ben, elle va le rendre malheureux, c'est certain! Sonia est tellement préoccupée par ses pensées qu'elle ne porte aucune attention à l'endroit où les deux jeunes s'assoient.

Elle répond à leur salut par un vague hochement de tête puisque, de toute façon, elle a la bouche trop pleine pour parler. Ce n'est que lorsque Caroline annonce que Sonia est maintenant au courant que celle-ci consent à lever la tête avec un sourire forcé.

— Je suis content que tu prennes ça bien, dit Stéphane. J'avais un peu peur que, après ce que tu as vécu la semaine dernière, tu sois très malheureuse. Mais, faut bien se rendre à l'évidence, toi et moi, c'était pas numéro un... T'es une chic fille. Ça me soulage que tu ne gardes pas rancune à Caro ou à moi.

À ces mots, Caroline qui est à ses côtés, embrasse Stéphane sur la joue. Ce n'est qu'à cet instant que Sonia réalise son erreur. Le nouveau chum de Caro est Stéphane. Le petit pincement au cœur qu'elle avait depuis quelques minutes disparaît soudainement. Ben, assis près d'elle, lui sourit avec gêne.

Sonia avale sa dernière bouchée en ricanant. Il lui semble que depuis une semaine, ses amis s'adonnent à un nouveau jeu: la chaise musicale amoureuse. Comme tous les yeux sont braqués sur elle pour savoir ce qu'elle pense, elle lance:

— Je vais m'acheter un gâteau au chocolat pour fêter ça!

D'un mouvement souple, elle se lève sans plus d'explications. D'ailleurs, qu'aurait-elle à expliquer? Que Stéphane peut sortir avec qui ça lui chante? C'est vrai au fond qu'elle est bien heureuse pour Caro. Sa copine a besoin d'un garçon actif et rieur. N'est-ce pas elle qui lui faisait remarquer que Stéphane est gentil, possède une moto et est riche à craquer? Oui, Caro a mis le grappin sur un morceau de choix que Sonia ne regrette pas. Elle s'étonne elle-même de la désinvolture avec laquelle elle rompt le début de relation qu'elle avait avec lui.

Pendant qu'elle s'éloigne, Stéphane et Caro font des signes à Ben. De toute évidence, ils lui signifient de suivre Sonia pour tenter sa chance. Son lunch à la main, l'adolescent, qui se sent bousculé, se lève. Il s'approche lentement du comptoir et sans se mettre en rang, il se tient derrière Sonia. Elle se retourne vivement en réalisant sa présence.

— Ah! Tu veux quelque chose?

— Non, j'ai tout ce qu'il me faut. Je... je...

144

— Tu disais? fait-elle en s'étirant pour attraper un berlingot de lait. J'ai pas compris.

De plus en plus intimidé par Sonia qui le regarde à peine, Ben se demande s'il a raison d'entreprendre cette démarche. Il cherche une porte de sortie pour ne pas avoir l'air totalement ridicule. Pourtant, s'il n'essaie pas aujourd'hui, quand le fera-t-il? Il tente donc, d'aborder indirectement le sujet qui lui tient à cœur.

— Je voulais seulement m'assurer que ça te dérangeait pas trop pour Stéphane et Caro, dit-il enfin à voix basse.

— Me déranger? s'exclame-t-elle. Pas du tout! Au contraire, je suis bien contente pour eux. Vrai! Je suis convaincue qu'ils sont faits pour s'entendre. Et puis, Stéphane est tellement plus agréable que Charles. Je me suis toujours demandé ce qu'elle pouvait bien lui trouver.

— Oui, moi aussi! s'écrie-t-il en retrouvant son sourire. Le zouave était pas un cadeau. Maintenant, il s'est déniché une fille plus à la hauteur de ses aspirations..., ajoute-t-il en haussant les sourcils.

— Ah! Vraiment! murmure Sonia qui le comprend à demi mot. Tant mieux pour lui. Non! Tant mieux pour Caro!

— T'as raison, Stéphane est un gars correct, lui.

Sans répondre, Sonia paie son lait et son gâteau avant de se diriger vers sa table. Ben, qui la suit de près, n'a toujours pas abordé «la» question. Brusquement, il demande:

— Pis toi, dans tout ça? Qu'est-ce que tu vas faire?

Sonia s'arrête et lui lance un regard surpris:

— Moi? Rien! De toute façon, j'ai comme pas envie de sortir avec un garçon de ce temps-ci.

Comme fin de non-recevoir, on ne peut plus catégorique! Ben comprend le message et fait rapidement volte-face.

— Oh! Tu sais, moi, je demandais ça seulement pour savoir comment tu allais. Bon, c'est pas tout, j'ai quelqu'un à voir. À tantôt!

Ayant ainsi clos la conversation, Ben quitte Sonia et la cafétéria. La jeune fille revient seule à sa place. Caro et Stéphane échangent un regard étonné et déçu.

— Où il est allé, Ben? s'informe Stéphane.

— Sais pas. Il a dit qu'il avait quelqu'un à rencontrer.

Reprenant espoir, Caro questionne sa copine:

— Alors, tu as dit oui? C'est d'accord?

Sonia qui allait engloutir une grosse bouchée de gâteau, hésite une ou deux secondes la main levée et la bouche ouverte. Puis elle cède à son caprice gastronomique. Elle prend le temps de bien savourer avant de répondre.

— Comprends pas ce que tu veux dire.

Puis elle goûte de nouveau. Stéphane, qui saisit immédiatement ce qui a dû se passer, soupire et hoche la tête. Caroline n'arrive pas à le croire et continue de harceler son amie.

— Voyons Sonia, fais nous pas marcher! Il ne t'a pas lâché tout le temps que tu étais au comptoir. C'était sûrement pas pour te parler de la pluie et du beau temps. Tu nous agaces....

Sonia leur fait un air ingénu:

— Je ne comprends pas de quoi vous parlez! C'est de Ben qu'il est question?

— Évidemment, qui d'autre? se fâche Caroline. Tu ne me feras pas croire qu'il ne t'a rien demandé.

— Rien de spécial, dit Sonia en se creusant le cerveau. Non, je ne vois pas. Éclairez-moi!

Caroline est déçue et a une folle envie d'aller secouer Ben comme un pommier. Stéphane rit de bon cœur en s'exclamant:

— Sacré Ben, il ne changera jamais! Plus gêné que ça, tu ressembles à un courant d'air. Ben, le prestidigitateur, quand il offre des fleurs à une fille, elles doivent disparaître dans sa manche de peur de les montrer...

— Lui, je te dis, soupire Caro. Il va falloir qu'on parle à sa place ou quoi?

— Vas-y, explique! s'impatiente Sonia.

— C'est bien simple, commence son amie. Il était supposé t'inviter à la danse de samedi...

— Comme ça, poursuit Stéphane, on serait sortis tous les quatre ensemble.

Sonia a une impression de déjà entendu. Ce n'est pas la première fois qu'on lui fait le coup. Une bouffée de colère teinte ses joues de rouge.

— Cette idée-là, elle est de vous ou de lui?

Caroline est interloquée par cette question. Stéphane répond pour elle.

— Les trois. C'est-à-dire qu'on parlait l'autre jour de la prochaine danse et on a eu envie d'y aller ensemble, avec toi. C'est vrai qu'on a un peu poussé dans le dos de Ben pour qu'il t'invite. Il est tellement timide, mais je le sais qu'il en meurt d'envie. Il crevait de jalousie quand je suis sorti avec toi, avant...

— Sonia, dit enfin Caroline en retrouvant l'usage de la parole, c'est toi qui avais raison. Ben est un garçon correct, gentil, pas laid, charmant même...

— Hey! Hey! Mets-en pas trop, s'écrie Stéphane en chatouillant son amie. Je vais finir par croire que t'as un œil dessus!

Sonia regarde les deux jeunes se taquiner mutuellement, puis sans commentaires, elle reprend la dégustation de son gâteau. Elle lui découvre une saveur légèrement différente. Un soupçon d'espoir et une pincée de contentement y sont ajoutés. Néanmoins, elle conserve sa dignité.

— C'est bien joli, tout cela, mais si Ben ne m'invite pas lui-même, je ne vois pas pourquoi je m'emballerais. Si je dois sortir avec lui, ce n'est pas à vous de servir d'intermédiaires. Alors, jusqu'à nouvel ordre, je ne vais pas à la danse de samedi.

Stéphane approuve la jeune fille et fait un clin d'œil à Caroline. On peut compter sur lui, l'invitation se fera dans les règles du meilleur savoir-vivre amoureux.

○

Stéphane a bien des défauts, mais il en possède un pire que les autres: c'est le garçon le plus têtu que Ben ait jamais rencontré. Voilà à quoi pense l'adolescent en surveillant du coin de l'œil Stéphane qui s'approche de lui pour la centième fois cette semaine.

Ben sait d'avance ce qu'il va lui dire, c'est pourquoi, il l'accueille en lui tournant le dos avec un peu d'impatience. C'est exactement ce qu'il fallait faire pour que Stéphane s'incruste davantage.

— Salut Ben! C'est aujourd'hui le grand jour! Déjà vendredi, dernière chance.

— Stéphane, va faire du vent ailleurs!

— C'est plutôt toi qui ressemble à un coup de vent. Arrête de te sauver à chaque fois que Sonia entre dans une pièce. Comment veux-tu lui parler si tu t'éloignes d'elle tout le temps?

— Qu'est-ce qui te dit que j'ai envie de lui parler? s'écrie Ben en empruntant l'escalier pour descendre au rez-de-chaussée. Qu'est-ce que tu en sais de ce que j'ai envie tout court?

— Pas besoin d'être devin, pour comprendre, réplique Stéphane en le suivant. Pis, je suis certain que Sonia n'attend que ça...

— J'en doute! Sonia a autre chose à faire que d'attendre après moi.

Stéphane commence à être à court d'arguments. Depuis mardi, il n'a pas cessé de répéter la même chose, mais aucun de ses encouragements n'a réussi à convaincre Ben. Il change de tactique et demande:

— C'est quoi qui t'énerve, comme ça? De quoi t'as peur?

Ben s'arrête subitement et affronte Stéphane:

— Ça va me donner quoi d'aller me ridiculiser devant elle? Je passe déjà pour le sans-tête de l'école. J'ai pas besoin d'aller me traîner comme un con devant une fille pour qui je ne vaux pas plus qu'un clou. Depuis le temps que je la connais, si je l'intéressais, je m'en serais rendu compte. Fait que... Je suis peut-être débile, mais pas complètement.

Avec un geste de colère, il dévale les dernières marches. Stéphane reste muet d'étonnement, car il réalise que c'est sérieux. Beaucoup plus sérieux qu'il ne l'avait d'abord cru. S'il a bien compris, Ben est amoureux, réellement amoureux de Sonia! Sinon, pourquoi craindrait-il un refus?

Il court derrière Ben et le rattrape à quelques pas de la cafétéria. Il l'agrippe par l'épaule pour le forcer à s'arrêter. Ben lui fait face, une expression de rage dans les yeux.

— Lâche-moi, grogne-t-il prêt à se défendre.

Stéphane obéit, mais se place devant lui pour lui bloquer le chemin. Très vite, il lui dit:

— O.K., O.K., j'ai compris. Je suis désolé, sincèrement désolé. Je voulais pas te mettre à bout.

Ben regarde l'autre adolescent et songe que le problème avec Stéphane, c'est qu'il est toujours sincère. Comment peut-on rester fâché contre un gars qui te prend par les sentiments? Évidemment, qu'il ne voulait pas le vexer, ni lui être désagréable. Il n'avait que des bonnes intentions et pensait que patati, patata... Ben écoute à moitié les doléances de Stéphane. Son attention est plutôt attirée par le babillard près de la porte.

Soudain, Ben pousse Stéphane et, en deux enjambées, se place devant les annonces de la polyvalente. Il grommelle une exclamation et court vers les locaux de la direction, abandonnant sur place Stéphane et son petit baratin. Celui-ci, qui n'apprécie guère cette façon cavalière d'agir envers lui, le suit à grands pas.

Quand il le rejoint, Ben trépigne d'impatience devant le bureau de la secrétaire qui est occupée au téléphone.

— C'est quoi ton problème? chuchote Stéphane.

— T'as pas vu? répond Ben sur le même ton.

— Non...

— Bien justement, c'est plus là pour qu'on le voie!

Stéphane fronce les sourcils en examinant Ben, puis y pense tout à coup. Il recule de quelques pas et cherche des yeux le portrait-robot du maniaque qui devrait être affiché près de la porte d'entrée. Il n'y est plus. Avant que Ben ne puisse lui passer une remarque, la secrétaire s'informe de la raison de leur présence au bureau.

Ben explique de son mieux la subite disparition du dessin et propose d'en installer d'autres. La jeune femme sourit en expliquant:

— Ce ne sera pas nécessaire. Les policiers ont découvert le maniaque. Il paraît que c'est grâce à un étudiant de secondaire I qui l'a reconnu. C'était un de ses voisins. À l'heure qu'il est, la police a déjà embarqué l'affreux bonhomme. Ils ont même téléphoné à Mme Visvikis pour la remercier de son aide.

Ben reçoit une superbe claque dans le dos et un «Yahou» retentit à ses oreilles. C'est Stéphane qui lui fait savoir d'une manière exubérante qu'ils ont réussi.

— Merci, mademoiselle, ajoute rapidement Stéphane avant d'entraîner Ben.

— C'est Sonia qui va être contente.

— Ouais! Viens vite, on va aller la prévenir.

En entrant dans la cafétéria, Ben se dit que ce vendredi midi est mémorable. Il sait que la nouvelle qu'il apporte va la soulager. Pourtant, en apercevant la jeune fille sagement assise à une

table, il ralentit le pas et laisse Stéphane le dépasser.

— Salut, la grande, s'exclame Stéphane en
prenant place devant Sonia. Caro n'est pas ici?

— Non, elle n'est pas encore arrivée. Pauvre
petit garçon, tu n'es pas capable de te passer
d'elle deux minutes!

— Oh! Ce n'est pas tellement elle que je
voulais voir, quoique ce qu'on a à dire lui aurait
plu.

Au mot «on», Sonia tourne enfin la tête vers
Ben, comme si elle venait tout juste de remarquer sa présence. Elle lui sourit, ce qui l'incite à
s'asseoir à côté de Stéphane. Durant toute la semaine, Sonia n'a rien fait pour se rapprocher de
Ben. Elle n'a pas cherché à l'éviter non plus. C'est
lui qui s'est abstenu de venir dîner avec le petit
groupe et qui s'arrangeait pour n'avoir besoin de
rien quand elle était à sa case.

— Vraiment? fait Sonia en regardant les
deux garçons. Qu'est-ce qui pourrait bien inté-
resser Caro?

— Quelque chose de fantastique! dit Stéphane.

Puis, il se tait, s'appuie à son dossier les mains
croisées derrière la tête et s'étire les jambes sous
la table. Dans cette position détendue, il attend
que Sonia se montre plus curieuse. Ben demeure
silencieux et laisse Stéphane agir à sa guise parce
que la présence de Sonia l'embarrasse. Il se sent
comme un plongeur devant une mer glacée.

— Qu'est-ce qui est si fantastique? demande Sonia consciente du petit jeu de Stéphane.

— Mmmm, je pense que je ne te le dirai pas. Non, ce n'est pas moi, c'est lui qui va te le dire, répond Stéphane en pointant Ben du doigt.

Pris de court, Ben bafouille:

— Moi... C'est que... je... je veux dire que tout est réglé.

— Réglé? fait Sonia sans comprendre de quoi il s'agit.

— Oui, tout est arrangé, reprend Ben. Le maniaque, ils l'ont retrouvé et arrêté.

Il faut une ou deux minutes à la jeune fille pour réaliser pleinement ce qu'elle vient d'entendre. Elle a l'impression que son cœur bat plus vite. Depuis lundi, elle croyait avoir définitivement chassé cette histoire de sa vie et la voilà qui réapparaît devant elle. Évidemment, c'est une bonne nouvelle. Mais combien de temps faudra-t-il pour qu'elle ne soit pas bouleversée à chaque fois que quelqu'un y fera allusion? Se forçant pour avoir l'air réjoui, elle dit:

— C'est fantastique! Je ne pensais pas vraiment qu'on pourrait lui mettre la main dessus. C'est Caro qui va être contente, son dessin va avoir servi à quelque chose.

Stéphane saute sur l'occasion pour laisser Ben et Sonia en tête à tête.

— C'est vrai, il faut que je retrouve Caro pour «mémérer» de tout cela avec elle. Salut, la gang!

Il les abandonne l'un devant l'autre et sort de la cafétéria. Il attend quelques instants dans le couloir, puis il revient sur ses pas. Il se pointe dans l'embrasure et jette un coup d'œil aux deux jeunes qu'il vient de quitter.

Il voit Sonia qui mange son lunch tandis que Ben s'agite nerveusement devant elle sans rien dire. «L'imbécile, pense Stéphane, il ne va pas laisser passer sa chance. Dis quelque chose, n'importe quoi. Grouille, Ben!» Ben bouge effectivement puisqu'il amorce un geste pour se lever quand il aperçoit Stéphane qui lui fait signe de se rasseoir.

Stéphane gesticule de son mieux pour lui faire comprendre d'en profiter et de faire sa demande. Il en fait tant que les étudiants qui passent près de lui ricanent en le voyant. Avec un sourire enjôleur, il croise les mains pour prier ardemment Ben d'accomplir ce qui lui semble si ardu.

Poussé par cet encouragement muet, Ben soupire et se décide enfin. Il tousse un peu pour s'éclaircir la voix et dit la première phrase qui lui vient à l'esprit:

— Est-que c'est bon?

Sonia le regarde, surprise.

— Oui, pourquoi? Tu as faim, je peux t'en donner un morceau.

— Non, non, c'est pas pour ça. D'ailleurs, c'est niaiseux ce que j'ai dit... C'est pas ce à quoi je pensais.

— À quoi tu pensais? demande Sonia en le fixant droit dans les yeux.

— Je voulais savoir...., commence-t-il en ayant envie de prendre ses jambes à son cou.

Si Stéphane n'était pas encore dans la porte à lui faire des gestes d'encouragement avec son sourire plein de confiance, c'est bien ce qu'il ferait: disparaître au plus vite. Pourquoi faut-il que ce soit si difficile? Alors, comme un désespéré au bord d'un précipice, il se jette dans le vide en posant la question fatidique:

— As-tu envie de sortir avec moi, demain soir pour aller à la danse? T'es pas obligée d'accepter, si ça ne te tente pas. Moi, je demande ça, au cas où...

Sonia se dit que ce n'est pas elle la perdante de la chaise musicale amoureuse puisqu'il restait encore une place de libre. Elle répond simplement:

— Oui, je veux bien.

Pendant un court instant, Ben n'est pas certain d'avoir bien compris, mais devant le sourire de la jeune fille, il se rend compte qu'il a gagné. Stéphane qui guettait sa réaction ne doute pas une minute du résultat. Il fait un bref salut à son copain et part à la recherche de Caro. Il a maintenant deux bonnes nouvelles à lui apprendre.

13

Il y a toujours une autre chance

Sonia entre à pas feutrés dans la chambre de sa mère. Celle-ci, fixant son reflet dans le miroir, fait les dernières retouches à son maquillage. Sa jupe à volants assez courte pour mettre en valeur ses jambes minces, son chemisier dans les tons qui s'harmonisent si bien à son teint et ses talons hauts des grandes occasions, tout cela annonce à sa fille qu'elle ne restera pas à la maison ce soir.

— Tu sors avec M. Trottier? demande Sonia. Est-ce que... est-ce que tu vas rentrer tard?

— Ça t'inquiète? fait sa mère en souriant. À quelle heure dois-je revenir?

Sonia hausse les épaules.

— Tu es assez grande pour juger par toi-même.

— Je te taquinais, dit Sylvie. Je ne le sais pas vraiment. Et toi?

— Je ne pense pas rester si longtemps que ça à la danse. Je sais me montrer raisonnable. Onze heures et demie, ça fait ton affaire?

— Excellent! Si jamais il y avait quelque chose, un problème, et que tu doives revenir seule, appelle un taxi. Je vais laisser de l'argent dans le tiroir de la cuisine pour le payer... Fais attention à toi, ma chatte, ajoute-t-elle en se penchant vers sa fille pour lui caresser les cheveux.

— Ça va aller..., fait la jeune fille, gênée, en s'éloignant.

Le carillon de la porte sauve Sonia du soudain élan d'émotions qui l'envahit en ce moment. Elle court ouvrir. À sa grande surprise, ce n'est pas l'ami de sa mère, mais la blonde de son frère, celle qu'elle avait espionnée sous le lit de Jean-Marc.

— Bonjour, tu dois être Sonia, moi, c'est Annie, se présente-t-elle en lui serrant la main.

Le sourire d'Annie est chaleureux et ses yeux bleus sont vifs et enjoués. Sonia qui ne s'attendait vraiment pas à la voir là, devant elle, demeure interdite quelques secondes, puis l'invite à entrer.

— Euh! Jean-Marc est dans la cuisine. C'est... c'est lui qui prépare le repas, maman va souper au restaurant avec un ami.

— Je sais. C'est pour cela que Jean-Marc m'a invitée à souper.

Les yeux grands ouverts par l'étonnement, Sonia ne dit rien. Alors, comme ça, pendant que maman passera son temps avec son chevalier servant, et qu'elle-même dansera à la polyvalente, son frère et sa blonde vont batifoler seuls à la maison. C'est du joli! Où il y a de la gêne, il n'y a pas de plaisir!

Jean-Marc arrive à cet instant et demande, innocemment, à sa sœur d'aller brasser une prétendue sauce dans la cuisine. Sonia lève les yeux au ciel, soupire et acquiesce à la demande. En entrant dans la cuisine, un petit coup d'œil confirme ce qu'elle pensait. Son frère enlace contre lui sa jeune amie et l'embrasse d'une façon non équivoque.

— Qui est-ce? fait la voix de sa mère derrière la porte de la salle de bains.

— L'amie de Jean-Marc...

— C'est vrai, j'ai oublié de t'avertir! dit Sylvie en rejoignant sa fille. Annie va passer la veillée avec Jean-Marc. Elle va même coucher ici, c'est plus sécuritaire. Elle reste à l'autre bout de la ville et tu sais comme moi que les rues ne sont pas sûres la nuit...

Sonia pense en souriant que coucher ici, ce n'est pas la première fois pour Annie. Pauvre maman, si elle savait!

— Je voudrais te demander quelque chose, ma grande, poursuit Sylvie. J'apprécierais beaucoup que demain matin tu te montres discrète. Vu que ton frère et son amie vont avoir passé la nuit ensemble... Ce serait aimable de ta part de ne passer aucune remarque là-dessus. Après tout, ton frère est un adulte maintenant.

Sonia qui goûtait au couscous, manque de s'étouffer avec les grains. Elle se demande si elle a des hallucinations ou si elle a réellement entendu sa mère parler des relations amoureuses de Jean-Marc. Son frère va faire l'amour avec Annie dans sa chambre et il semblerait que ce soit la chose la plus normale au monde! Tu parles d'une mère! Jean-Marc, un adulte? C'est vrai qu'il a dix-huit ans, mais tout de même...

Sylvie continue sur le même ton:

— C'est parce que... il faut bien que je te le dise... Peut-être que je ne serai pas là demain matin. Vois-tu, avec Pierre je vais au restaurant et voir un film, mais après... il est possible que je ne rentre pas. Tu comprends?

Si elle comprend? Bien sûr, ce sera la grande partouze, quoi! Et elle dans tout cela, elle est censée se comporter comment? Est-ce qu'il n'y a qu'elle de raisonnable dans cette maison?

Sa mère lui fait son plus charmant sourire et l'embrasse sur les deux joues avant d'aller rejoindre son fils et de saluer Annie. Pendant un court moment, la chaude odeur du parfum Anaïs se mélange aux effluves sucrées d'un pouding aux fruits maison.

Un second coup de cloche avertit Sonia que l'ami de sa mère arrive enfin. Il y a les salutations d'usage, la nervosité de Sylvie (la femme) qui s'inquiète de son allure avant cette grande sortie, les recommandations de Sylvie (la mère) qui s'inquiète pour ses deux poussins qu'elle abandonne et finalement, le grand départ.

Quand Jean-Marc ferme la porte derrière Pierre et Sylvie, il pousse un long soupir qui signifie: il était temps! Les yeux langoureux, il attire Annie dans ses bras. Sonia qui ne désire aucunement être de nouveau le témoin de ses tendres effusions, s'écrie aussitôt:

— Quand passons-nous à table? J'ai faim!

Une heure et demie plus tard, Sonia marche aux côtés de Ben. Le jeune garçon voudrait bien lui tenir la main, mais sa timidité naturelle l'en empêche. En entrant dans la polyvalente, la jeune fille a l'impression de retourner trois semaines en arrière. Elle est accueillie par la même ambiance, la même demi-pénombre de la grande salle, la même musique provenant des mêmes disques, le même groupe... Non! Caroline lui apprend la nouvelle: une rumeur prétend que les Push-Poussez n'existent plus. Caro se fait un plaisir de rapporter les meilleurs potins au sujet des mésententes du petit groupe musical local.

Sonia écoute d'une oreille distraite, puis propose à Ben, Caro et Stéphane de sauter sur la piste de danse. C'est avec le plus grand bonheur qu'elle retrouve l'ivresse des rythmes et des tempos. Toujours aussi réceptive, elle se laisse envahir et griser par la musique.

Quand le premier slow se fait entendre, elle redevient anxieuse et crispée. Elle n'a pourtant pas le choix, si elle sort avec Ben, elle doit danser avec lui. Cela se déroule mieux qu'elle ne l'avait espéré. Ben est tellement intimidé par sa présence qu'il la touche à peine. Il y a longtemps qu'il rêvait de la serrer contre lui, mais maintenant qu'elle est là, il n'ose rien entreprendre.

La soirée se poursuit avec ses séries de chorégraphies endiablées entrecoupées, par-ci par-là, de quelques danses collées. D'une fois à l'autre, Sonia se rapproche un peu de son cavalier. Celui-ci presse davantage ses bras autour d'elle. Le nez dans les cheveux de Sonia, il en respire la douce fragrance et se sent heureux. Pour l'instant, il ne demande rien de plus.

Vers onze heures et quart, jugeant qu'il est assez tard, Sonia annonce à ses amis qu'elle désire quitter la polyvalente. Après avoir salué Stéphane et Caroline qui continuent à danser, elle et Ben partent la main dans la main. Ben parle de toutes sortes de choses quand Sonia l'interrompt:

— Ça alors! C'est pas croyable!

— Quoi?

— Je viens à peine de m'en rendre compte. Ça fait longtemps que je ne t'ai pas entendu dire «super».

Ben hausse les épaules et émet un petit rire gêné:

— Je... C'était une mauvaise habitude, un peu bébé. Je commençais à trouver ça ridicule...

— J'avoue que ça faisait pas très sérieux, approuve Sonia. D'ailleurs, t'as changé depuis quelque temps... Je t'aime bien.

Mue par une subite impulsion, elle se lève sur la pointe des pieds et pose ses lèvres rapidement sur la joue de l'adolescent. Sentant une bouffée de chaleur sous le sternum, Ben est heureux. Il regarde aux alentours s'il n'y a pas de curieux. Puis, il prend le visage de la jeune fille dans ses mains et l'embrasse de son mieux. Sonia passe ses bras autour du cou du garçon et recommence l'opération en y mettant plus d'ardeur.

C'est serrés l'un contre l'autre qu'ils reprennent leur route. Sonia songe rapidement à sa mère dans les bras de Pierre et à son frère au lit avec Annie. Elle se dit qu'elle n'en est pas encore là, mais elle sait maintenant qu'un jour ce sera possible. Ce qu'elle se refusait absolument à envisager la semaine dernière, lui semble en cet instant moins pénible. Un jour, oui, un jour, mais pas aujourd'hui, pas encore...

La Paroisse cette semaine / 3
Paroisse faubourg St-Rock
Dimanche, le 19 janvier

Le mot de l'abbé Marchessault

Mes amis, en ce début d'année si froid, je vous souhaite la grâce de pouvoir réchauffer le coeur de vos proches par vos paroles et vos actions. Je voudrais aussi rappeler à ... jeunes assistants que les préparatifs de la messe des finis... ... Passerelle commenceront cette semaine. Je téléphon... ... tous ceux qui ont eu la gentillesse de s'ins... ... activité.

210 **MUSIQUE**

Collection de flûtes à bec, plus de 40 modèles, prix à 17h00. 543-7564 après

Piano acajou, excellente tonalité, parfait état, aubaine $1200. 333-6610.

Harpe de concert, besoin d... vernissage, son divin... prix. 635-9989

CLSC FAUBOURG ST-ROCK
Le SIDA: mythes et réalité ...
êtes-vous bien renseigné?

AVIS DE RECHERCHE

...vez-vous vu cet homme?
...ttention, il peut être armé d...
...eau de métal.
...scription: bl...

LE DÉCROCHAGE SCOLAIRE: PIERRE HOUDE RÉAGIT

"Le décrochage scolaire, à la Passerelle, c'est fini!" déclarait hier soir le directeur de la Polyvalente, M. Pierre Houde, à l'occasion du lancement du programme "Moi, je reste à l'école". "J'ai l'intention de veiller au grain, croyez-moi. Les jeunes ont besoin d'encadrement et de discipline, nous avons été indulgents trop longtemps, certains, mais je crois que nous n'avons plus le choix: il faut réagir avec fermeté, Mon programme est drastique, diront et tout de suite!"

LE BAL DES FINISSANTS À LA PASSERELLE: UN SUCCÈS MONSTRE!

Brigitte Lemieux, envoyée spéciale.

Un tout nouveau groupe rock, formé de 4 étudiants de la polyvalente, a animé cette soirée. La musique tantôt expressive, tantôt endiablée et les textes soignés des Push-Poussez ont conquis tous les coeurs. Les cinq membres du groupe sont: Kim Beauregard à la voix, Alain Lafont à la guitare, Serge Brochu aux claviers, Dave Herbert à la guitare basse et Benoît Gauvreau à la batterie.

QUESTIONNAIRE

Maintenant que vous avez terminé la lecture de ce livre, vous avez peut-être des impressions à son sujet. Alors, nous vous cédons la plume. Dites-nous ce que vous en pensez en répondant à ce petit questionnaire.

1. Aimez-vous l'idée d'une collection où tous les personnages vivent dans le même quartier?

2. Quels personnages vous ont plu davantage?

3. Quels personnages aimeriez-vous retrouver dans un prochain livre?

4. Y a-t-il des thèmes que vous aimeriez voir les auteurs aborder? Lesquels?

5. Où imaginez-vous le Faubourg St-Rock?

6. Avez-vous d'autres commentaires à formuler?

Envoyez vos réponses à l'adresse suivante:

Éditions Pierre Tisseyre
Collection Faubourg St-Rock
a/s auteur de ce livre
8925, boulevard St-Laurent
Montréal (Québec)
H2N 1M5

Table des matières

Lithographié au Canada
sur les presses de
Metrolitho inc. – Sherbrooke